ENVIRONNEMENT
ET CHOIX POLITIQUES

D O **M I** N O S

Collection dirigée par Michel Serres
et Nayla Farouki

DOMINIQUE DRON
ENVIRONNEMENT
ET CHOIX POLITIQUES

Un exposé pour comprendre
Un essai pour réfléchir

DOMINOS
Flammarion

Dominique Dron. Ancienne élève de l'École normale supérieure (section biologie), et agrégée de sciences naturelles, Dominique Dron intègre le corps des Mines en 1986. Après avoir été directrice du développement de l'Agence de l'environnement et de la maîtrise de l'énergie (Ademe), elle dirige depuis 1994 la cellule prospective et stratégie du ministère de l'Environnement. Elle a publié de nombreux articles scientifiques ainsi que *Delenda : le poids des déchets dans les entreprises* aux éditions Eyrolles en 1991.
Dominique Dron s'exprime dans ce livre à titre personnel et ses analyses n'engagent pas l'institution où elle exerce.

© Flammarion, 1995
ISBN : 2-08-035217-2
Imprimé en France

Sommaire

La première fois qu'apparaît un mot
relevant d'un vocabulaire spécialisé, explicité
dans le glossaire, il est suivi d'un ★

Du pic où il clame avoir vaincu la montagne
Sans vouloir accepter que la montagne le soutient
L'homme béat contemple un horizon cloisonné de certitudes
Sans admettre qu'il y cherche seulement son reflet
Et n'y voit enfin que lui en effet
En toute conscience.

Avant-propos

Le terme « environnement » est un mot valise. Il est aujourd'hui ce que l'éthique pourrait bien devenir demain : la couleur que la société cherche un jour à donner aux activités humaines. Il renvoie à des inventeurs de pigments et d'utilisations, à des normes de coloris, à des colorimètres et « colorimétreurs », à des revendications sur les conditions plus ou moins démocratiques du choix des couleurs dominantes, à des questions sur les nécessités d'assortiment international ou d'adaptation au goût local, à des ventes licites ou non de verres colorés, à des inquiétudes quant à l'effet de couleurs trop normalisées sur le mental, à des interrogations sur l'avenir de nos capacités visuelles à distinguer la variété de leurs nuances... Bref, le terme « environnement» est un mot porteur de demandes sur le sens des actions qu'il implique, le plaisir ou la souffrance qu'elles procurent, ainsi que les conséquences de leur mise en œuvre. D'objet, il est devenu mode de perception ; il appartient à ces questions auxquelles on répond par une institution — ce qui est bien —, mais dont on s'acquitte ainsi souvent de l'esprit et des exigences — ce qui est grave. Y aura-t-il demain, porté par les indignations sociales, un ministère de l'Éthique, comme il y a un ministère du Travail, de la Justice ou de la Culture ?

Il y a, dans nombre de pays membres de l'Organisation de coopération et de développement économiques (OCDE), un ministère de l'Environnement. Ses missions reflètent les multiples facettes du domaine : technicité pour le contrôle des installations industrielles et l'assainissement ; démarche juridique et naturaliste pour la préservation des espèces, des biotopes* et des paysages ; approche économique et fiscale croissante des questions d'effet de serre ou de transports ; évaluations des projets et décisions en termes de santé publique ou de risques ; relations déjà affirmées ou seulement pressenties avec les phénomènes sociologiques.

Dès lors, une question se pose : l'environnement, conception que l'homme a de ce qui l'entoure, est-il affaire de technique, de droit, de culture, de fiscalité, de sciences naturelles, de médecine, d'organisation sociale ?

Une idée...
à problèmes

L'homme
dans «sa» nature

La Terre, vue de l'homme

Les lignes qui vont suivre tentent de retracer les méandres historiques de la conception que les hommes eurent, successivement ou simultanément, de la nature qui les entourait et de leurs rapports avec elle. L'évolution n'y est ni linéaire ni achevée. Elle est passée en Occident par un modèle inspiré des mathématiques, de la religion et du rationalisme, dont la séduction et la persistance sont à l'origine de ce qu'on appelle aujourd'hui l'antagonisme du développement et de l'écologie. Dans ce modèle, un univers newtonien était forcément aussi éternel que les mathématiques qui le décrivaient ; un être humain de statut divin unique ne pouvait qu'être destiné à dominer les autres créatures ; le privilège de la raison lui donnait de surcroît les moyens, la légitimité, voire la mission, d'ignorer les lois de son environnement et de le transformer pour l'attirer à lui.

Ainsi, l'homme, doté du pouvoir de modifier la nature, convaincu de la pérennité de celle-ci et nanti d'un droit philosophique à agir sur elle, ne pouvait éprouver aucune culpabilité, aucun sentiment de responsabilité envers elle. La nature était l'autre absolu, distancié, malléable mais permanent, hermétiquement extérieur à lui, dont toute modification constituait à elle-même la preuve de son bien-fondé. Force est d'observer que les approches française et américaine depuis le XVIIIe siècle, mais aussi soviétique à partir du XXe siècle, fournissent l'illustration de cette totale aliénation de l'environnement.

Lorsque l'homme se sentit à son tour menacé par les phénomènes qu'il avait déclenchés et qu'il ne maîtrisait plus, la millénaire robustesse de son adversaire et alliée de toujours ne lui parut soudain plus si assurée. Lorsqu'il la vit depuis l'espace, dans les années 50, l'idée de sa finitude et de leur interdépendance commença de naître, suscitant aussi bien la réactivation du mythe de la Terre mère que l'élaboration de modèles scientifiques complexes porteurs d'équilibres planétaires fragiles. La nature devenait précieuse et proche, jusqu'à raviver les questions ancestrales de sa parenté ontologique* avec les humains et de son statut juridique. La culture n'enfermait plus tout à fait l'homme dans une bulle de verre.

Qu'advient-il alors de l'essence unique de l'«homme» ? Est-il, par nature ou par fonction, observateur ou partie, «dans» ou hors de ce qui l'entoure ? La nature est-elle «sa» compagne ou «sa» propriété ? La nature est-elle sa «nature», partage-t-il son essence, ou restent-ils aussi disjoints que la culture occidentale avait pris le pli de se le représenter ?

Au cours des philosophes : de la Grèce au XIXᵉ siècle européen

En suivant les réflexions des philosophes grecs, ce sont les éléments naturels que l'on trouve d'abord comme support et explication d'un univers dans lequel l'homme doit s'insérer. Pour Thalès de Milet (VIIᵉ-VIᵉ siècle av. J.-C.), le principe originaire commun du monde et des êtres vivants qui l'habitent est l'eau ; pour ses successeurs, ce sera l'air, l'infini, les quatre éléments, voire l'atome... Hippocrate (Vᵉ-IVᵉ siècle av. J.-C.) souligne l'influence du milieu de vie sur la santé de l'être humain — tradition que l'on retrouvera bien plus tard chez les hygiénistes des XVIIIᵉ et XIXᵉ siècles. Mais entre-temps, les sophistes* ont fait basculer le point de vue initial, et placé pour longtemps l'homme au centre de la pensée philosophique : c'est chez Gorgias (Vᵉ-IVᵉ siècle av. J.-C.) et ses condisciples que l'être humain devient « la mesure de toutes choses », ouvrant ainsi la voie au relativisme. Lorsque Platon évoque un cosmos naturellement harmonieux créé par un démiurge avisé, ou Aristote l'équilibre de la nature se reflétant jusque dans la psychologie humaine, ils ne s'écartent plus de cette direction.

Le Moyen Age, avec les scolastiques*, offre certaines théories qui semblent établir un pont entre l'Antiquité platonicienne et Baruch Spinoza. C'est ainsi que l'on trouve chez Scot Érigène, l'un des premiers scolastiques (IXᵉ siècle), l'idée de quatre formes superposées d'une même nature : Dieu, les Idées, les Créatures et la Paix ultime. Il faut noter qu'aux XVᵉ et XVIᵉ siècles l'animal se voit doté d'une personnalité juridique analogue à celle des êtres humains. Mais, avec les Temps modernes, la réflexion reprend son cours anthropocentrique, poussé par le progrès des moyens dont l'homme dispose pour découvrir le monde. Pour Galilée, « le livre de la nature est écrit en langage mathématique » ; pour Francis Bacon, le but de la science est de dominer la nature afin d'accroître le bien-être de la société ; François Rabelais demande que la forêt hostile laisse place à une campagne accueillante. L'humanisme*, dans lequel s'inscrit Michel de Montaigne, accorde de plus à l'être humain la possibilité de refuser les lois de la nature grâce à la raison.

Les siècles suivants, avec Newton, Buffon et Descartes, confirment la prédominance de l'homme sur les êtres et les choses qui l'entourent. Pour Isaac Newton, la nature est strictement explicable grâce aux mathématiques et à l'observation. Pour Georges Louis Leclerc de Buffon, les animaux eux-mêmes deviennent des objets mécaniques, totalement imitables par l'ingéniosité humaine et incapables de souffrir, donc tout désignés pour l'expérimentation *in vivo*. René Descartes, appelant à plus de clémence, leur concède le statut de créatures divines. Le cas de Spinoza est particulier. En effet, il souligne l'illusion dans laquelle le maniement de la raison entretient l'homme quant à sa liberté : en toutes circonstances, c'est la nature qui mène le jeu. Celle-ci revêt deux statuts : la nature créante, *natura naturans* (Dieu), et la nature créée, *natura naturata*, c'est-à-dire le reste. Les deux significations du mot « nature », « essence » ou « univers préhumain », se rejoignent ici ; il suffit donc pour connaître celle-ci de comprendre les états, les « modes », de Dieu.

George Berkeley reprend cette réflexion en supposant que les choses ne représentent que des idées émanant de Dieu et suscitées par lui dans l'esprit des hommes ; la science de la nature revient alors à décrire les lois de l'enchaînement des idées du Créateur. En revanche, Voltaire soutient que Dieu n'intervient plus dans le fonctionnement de la nature après qu'il l'a créée ; elle reste donc comme une donnée, en face de l'homme, qui peut agir sur elle. L'idée antagoniste d'un continuum matériel alliant les choses inanimées aux êtres humains appartient à Gottfried Wilhelm Leibniz, pour qui le cosmos est composé d'entités élémentaires, appelées « monades », dont les associations diverses produisent l'ensemble des éléments de l'Univers. Globalement, néanmoins, l'être humain, plus ou moins lié à la nature, peut avoir par son esprit une action sur celle-ci, et ses effets seront bénéfiques, au moins pour lui-même.

A l'opposé, pour Jean-Jacques Rousseau, « un homme qui médite est un animal dégénéré » : en effet, l'homme associe l'instinct de l'animal à une volonté propre, expression de la liberté niée par Spinoza ; cette liberté lui permet de s'abstraire des lois naturelles, mais aussi de refuser le bien. L'éloignement d'avec la nature est alors source d'un autre emprisonnement, forgé par l'homme lui-même, dont les principaux éléments sont la propriété privée non fondée sur le labeur, la division du travail, le langage, les arts et les sciences : bref, la culture. Parallèlement, des auteurs comme Étienne Bonnot de Condillac s'attachent, au

XVIIIe siècle, à rétablir les devoirs de l'être humain envers l'animal, en particulier celui de lui éviter la souffrance. Ce courant se développe au siècle suivant avec Jules Michelet, qui s'émerveille devant les talents mathématiques des abeilles, et dont le travail aboutit en 1850 à la loi Grammont, réprimant en France les mauvais traitements infligés en public aux animaux domestiques.

Du XVIIIe au XXe siècle : sciences et techniques

A partir du XVIIIe siècle, on assiste au développement des sciences de la nature, avec Linné et Lamarck, puis, au XIXe siècle, avec Humboldt, Candolle et Darwin, contemporains de l'utilitarisme* de Bentham. Parallèlement s'affirme l'idéalisme* kantien, le primat hégélien de l'esprit, puis le positivisme d'Auguste Comte.

Outre la nomenclature botanique par genres et espèces, on doit à Carl von Linné l'idée d'une économie de la nature, comme ensemble des « fonctions réciproques et fins communes des êtres naturels », considérée comme preuve de l'existence de Dieu. Dans cette perspective, l'homme reste le spectateur émerveillé de la Création, et le naturaliste devient le découvreur de ses ressources utilisables par ses congénères. Il existe donc deux sortes de nature : celle que ses productions ou sa beauté rendent utile et qu'il convient de préserver, et celle dont aucun bénéfice direct ne peut être perçu et que l'homme voudra éliminer comme source de dommages, par exemple les marais.

A l'époque, les traités sur les inconvénients des déboisements excessifs sont nombreux, mais rien n'existe concernant les effets pervers des assèchements massifs. Effectivement, l'une des applications fortes de la botanique et de la physiologie végétale est alors l'agronomie, définie par Antoine Laurent de Lavoisier comme « l'art de faire en sorte qu'il y ait toujours dans un espace donné la plus grande quantité possible d'éléments combinés à la fois en substances vivantes ». C'est le chimiste qui parle de la dépendance des espèces végétales par rapport à la composition du sol qui les nourrit, mais on peut aussi reconnaître dans cette louange de la variété la recommandation partielle de ce qu'on appellerait aujourd'hui une « biodiversité maximale ». C'est dans le sillage de Lavoisier que, beaucoup plus tard, vers 1840, le physico-chimiste allemand Justus von Liebig, considéré comme le fondateur de la chimie agricole, construit la théorie du facteur limitant*, suivant laquelle il suffit d'une carence en un facteur du milieu, un élément comme le phosphore ou le fer par exemple, pour que, malgré l'abondance des autres nutriments, le développement d'une espèce soit stoppé.

La dépendance des êtres vivants envers leur support physico-chimique apparaît d'une autre manière dans les travaux de grands voyageurs, comme ceux d'Alexander von Humboldt sur la répartition géographique des espèces. Outre le concept d'« association végétale », ensemble d'espèces de plantes caractéristique d'un milieu, il apporte l'idée intéressante, et sociologiquement féconde, d'une relation étroite entre la beauté et la fonction d'un paysage, entre l'art et la science dans le rapport de l'homme à la nature. Simultanément, Augustin Pyrame de Candolle aborde le rôle de la compétition entre espèces insulaires pour en assurer la diversification à partir d'une souche commune, et souligne les dangers de l'attitude destructrice des colonisateurs. C'est alors que Charles Darwin reprend l'idée d'économie de la nature de Linné, en substituant à la volonté divine le moteur de la diversification des espèces par « sélection naturelle », conçue comme le meilleur moyen pour le plus grand nombre d'entre elles d'exploiter les ressources d'un milieu donné. La filiation des espèces, devenue manifeste avec la paléontologie⋆, rend alors beaucoup plus floue la distinction traditionnelle entre homme et animal, et contribue à l'élaboration d'une lecture du monde en termes de domaine organique (le vivant sous toutes ses formes) et domaine inorganique (les caractères physico-chimiques).

En 1866 apparaît le terme « écologie », chez le biologiste allemand Ernst Haeckel. En 1875, le géologue autrichien Eduard Suess introduit le terme « biosphère⋆ » pour désigner la communauté mondiale des êtres vivants, soulignant ainsi pour la première fois leur interdépendance à l'échelle du globe. Le concept de biosphère est développé en 1923 par le Russe Vladimir Ivanovitch Vernadski dans une approche biogéochimique. Plus tard, en 1935, Arthur Tansley désigne par le terme « écosystème⋆ » l'ensemble des êtres vivants et des caractères physico-chimiques d'un lieu donné, affinant et formalisant ainsi les relations entre 'les deux domaines qu'avaient défendues Lavoisier, puis le Prussien August Ferdinand Möbius. A la même époque, l'Italien Vito Volterra et l'Américain Alfred J. Lotka écrivent les premières équations décrivant les relations entre une population de prédateurs et celle de leurs proies. En parallèle, Charles Elton, aux États-Unis, invente le concept de « niche écologique* » pour décrire l'ensemble des conditions géographiques, climatiques, physico-chimiques et biologiques du développement d'une espèce. Il traduit les écosystèmes sous forme de circulations de la matière organique* le long de chaînes alimentaires composées des prédateurs successifs. En 1942, l'Américain Raymond Lindeman transpose ces circuits de matière en termes de flux énergétiques, en utilisant les développements de la thermodynamique* ; il envisage aussi d'appliquer cette modélisation à une description économique des phénomènes.

Quelques années plus tard, la question de l'intervention humaine sur les écosystèmes est largement débattue au sujet de l'érosion* catastrophique des prairies du Middle West américain après leur transformation en terres à céréales. On constate la fragilité des systèmes artificialisés où ne subsiste qu'une seule espèce et la longévité supérieure des zones à usages multiples par rapport aux exploitations spécialisées et intensives. Le livre de Rachel Carson, *Le Printemps silencieux*, marque en 1963 le début d'une prise de conscience générale de l'opinion publique occidentale. L'asservissement de la nature par la technique se révèle avoir aussi des effets néfastes. L'interdépendance des domaines organique et minéral, de plus en plus étroite et globale à la fois, trouve son apogée en 1970 avec la théorie « Gaïa » de James Lovelock : l'équilibre du système Terre s'explique par des rétroactions multiples entre les éléments biologiques et géochimiques, analogues à celles qui assurent pour les organismes vivants supérieurs la constance de l'équilibre de leur milieu intérieur. Un indice de cet état d'équilibre dynamique, c'est-à-dire constamment régulé, est la différence énorme et permanente entre les concentrations de gaz mesurées dans l'atmosphère terrestre et celles que l'on trouverait par pur mécanisme thermodynamique sur une planète sans vie. Aujourd'hui, un exemple de perturbation possible est fourni par l'« effet de serre★ », risque d'élévation inéluctable de la température du globe dû au léger excédent de différents gaz, dont le gaz carbonique des combustibles fossiles, dégagés par l'activité humaine. La conséquence de cette représentation n'est pas, comme certains épigones ont pu l'écrire, que la Terre serait une personne vivante prénommée Gaïa, résurrection d'une mythique déesse mère, mais plutôt qu'il n'est pas d'action indifférente sur ce système en équilibre complexe, quel que soit le domaine qu'elle touche d'abord.

Revenons au XVIIIe siècle pour suivre, après Descartes, Newton et Voltaire, l'évolution parallèle de la philosophie occidentale. C'est l'idéalisme allemand qui, avec Emmanuel Kant, reprend la vision mécaniste de la nature. L'homme, attaché à ses lois par son être matériel et sensible, peut se libérer de cette emprise par l'exercice de la raison, son apanage. Le rôle de la culture, de l'éducation, est de domestiquer les instincts et le monde originels. L'harmonie entre l'homme et son environnement se réalise finalement par la transformation de celui-ci à l'image de la volonté de l'homme. Johann Gottfried Herder affirme que l'homme est le premier être vivant à pouvoir créer sa propre nature, choisir sa propre essence. On reconnaît dans cette philosophie la liberté fondamentale que décriront plus tard Jean-Paul Sartre et Albert Camus. Friedrich Hegel voit même dans la nature une incarnation de l'Idée, et l'intègre ainsi totalement à la sphère culturelle.

A sa suite, au cours des XIXᵉ et XXᵉ siècles, le développement des sciences et des techniques alimente les courants positiviste et marxiste, qui, tous deux, envisagent l'homme comme maître et façonneur de la nature. Auguste Comte établit alors une hiérarchie des sciences qui, aujourd'hui encore, relègue les connaissances descriptives derrière le savoir instrumental : les mathématiques viennent devant l'astronomie et la physique, qui sont suivies de la chimie, de la biologie et enfin de la sociologie. Ce système de pensée très occidental a plusieurs conséquences liées entre elles, notamment le primat donné à une traduction technologique efficace de la connaissance. Il engendre, d'une part, le besoin croissant de spécialistes de plus en plus pointus et, d'autre part, le désintérêt pour une approche globale des phénomènes complexes.

En décrivant l'aboutissement de cette évolution philosophique, Theodor Adorno et Max Horkheimer montrent en 1944 comment la raison omniprésente en vient à nier les éléments qu'elle ne peut décrire ni s'approprier, les rendant méprisables, voire impossibles à penser faute de concepts : « La nature disqualifiée devient la matière chaotique, objet d'une simple classification, et le moi tout-puissant devient simple avoir, entité abstraite. » A la lumière du fascisme, ils soulignent qu'un univers dominé par une science aveugle et quantificatrice à l'extrême, monopolisant la pensée, réveille, par dégoût de la pensée même, l'arbitraire et les fanatismes.

A la suite des mouvements anglo-saxons et scandinaves, le débat sur la prise en compte de l'environnement a partout revêtu dans les années 80 une forme politique. D'un côté, on trouve les partisans de l'écologie réformiste, qui se proposent d'amender les activités humaines en vue de davantage de respect de leur support naturel ; de l'autre, les partisans d'une écologie radicale, dite outre-Atlantique *deep ecology**, pour lesquels la préservation des équilibres naturels globaux est le devoir premier de l'homme puisqu'il leur doit l'existence. Effectivement, le doute subsiste dans le concept de « développement durable », *sustainable development*, popularisé en 1992 par le sommet de Rio : en cas de conflit entre développement à la mesure humaine et durabilité à l'échelle des écosystèmes planétaires, que privilégiera-t-on ? Aujourd'hui, la question est posée sur un plan culturel : celui du statut juridique et philosophique de la nature, qui, transformée ou polluée par l'homme, s'est révélée capable de le menacer. Les traductions visibles des réponses données à cette interrogation peuvent se lire dans les évolutions institutionnelles et législatives.

L'environnement
dans les textes,
les organismes et les sociétés

La planète finie

L'environnement fut une affaire supranationale bien avant les années 80. Dès 1948 est créée l'Union internationale pour la protection de la nature (UIPN), devenue en 1954 l'Union internationale pour la conservation de la nature et de ses ressources naturelles (UICN), sous l'égide de l'Unesco. Comprenant quatre cent cinquante gouvernements et organisations non gouvernementales (ONG), elle est l'auteur de la première liste des espèces à protéger, le *Red Data Book*, et de la stratégie mondiale de la conservation (1980). Dans le domaine de la protection de l'eau, la France, la République fédérale d'Allemagne (RFA) et le Luxembourg signent les accords sur la Moselle en 1961, et sur le Rhin en 1963. La même année, le Conseil de l'Europe crée le Comité européen pour la sauvegarde de la nature et des ressources naturelles (CESNRN), puis, en 1967, un Centre européen d'information pour la conservation de la nature et des paysages (CEICNP). En 1968 s'ouvre la conférence intergouvernementale d'experts sur les bases scientifiques de l'utilisation rationnelle et de la conservation des ressources de la biosphère, réunissant pour la première fois, dans le cadre de l'Unesco, des scientifiques de toute la planète venus traiter des questions environnementales.

A partir de 1970, décrétée année européenne de l'environnement, les conférences internationales se succèdent : conférence de l'Organisation des Nations unies (ONU) et de la Communauté économique européenne (CEE) sur l'influence du milieu sur l'économie et la société, en 1970 ; conférence de Prague, en 1971, qui prépare la manifestation de Stockholm de 1972 : elle fondera la politique environnementale de la CEE. En 1975, la convention de Barcelone se donne pour objectif la protection de la Méditerranée.

La question de l'air est traitée dans une phase ultérieure. La convention de Genève sur la pollution au-delà des frontières est signée en 1979. La médiatisation par l'Allemagne en 1983 du phénomène des pluies acides* et de leurs dégâts sur les forêts de Bohême amplifie le mouvement : protocoles de 1984 (financement d'une surveillance continue des transferts de pollutions atmosphériques en Europe) ; de 1985, à Helsinki (sur la pollution soufrée) ; de 1988, à Sofia (sur les oxydes d'azote*) ; de 1991 (sur les composés organiques volatils).

Peu après, l'évolution de la couche d'ozone* située au-dessus du pôle Sud, dont l'étude avait été décidée en 1974, motive en 1985 la convention de Vienne sur sa protection, en 1987 le protocole de Montréal sur la

suppression progressive des chlorofluorocarbones★ (CFC), et en 1989 celui d'Helsinki sur leur disparition décidée pour l'an 2000. L'appel de La Haye, signé en 1989 par vingt-quatre chefs d'État, souligne un autre risque planétaire : le réchauffement de la planète par accumulation de gaz dits à « effet de serre »

Les univers contemporains du Malien et du Japonais.
Les sept cents millions d'habitants du Japon, de l'Europe et de l'Amérique du Nord, soit 13 % de la population mondiale, participent à la moitié de la consommation mondiale annuelle d'énergie. Généralisé aux bientôt six milliards d'êtres humains, le mode de vie des pays riches n'est pas soutenable.
Ph. © J.-L. Manaud / Icône - Yves Gellie / Icône.

(gaz carbonique, méthane, CFC...). Mais comment permettre aux pays les plus pauvres de limiter l'augmentation de leurs émissions gazeuses sans handicaper leur développement économique ? La conférence de Londres de 1990 tente d'envisager des mécanismes d'aide et une solidarité Nord-Sud. En 1992, le sommet de Rio consacre la dimension prioritaire du problème du réchauffement de la planète, bien que subsistent nombre d'incertitudes scientifiques sur son ampleur exacte ; c'est alors l'avènement du « principe de précaution ». Il souligne aussi le devoir pour l'humanité de protéger la diversité biologique de la planète. Il impose enfin mondialement la notion de « croissance soutenable », ou encore de « développement durable », introduite en 1987 par le rapport de Mme Brundtland, Premier ministre norvégien. Il s'agit d'assurer aux êtres humains d'aujourd'hui les meilleures conditions de vie possibles sans hypothéquer celles des générations futures.

La CEE a développé à son tour cette notion, dans son cinquième programme d'action (1993-1998), explicitement intitulé « Programme communautaire de politique et d'action pour l'environnement et son développement durable et respectueux ». Mais comment mesurer et contrôler les efforts de chaque nation ? Pour évaluer sous cet angle les politiques des États, l'ONU crée en 1992 la Commission mondiale du développement durable et ses antennes nationales.

Le fait que les questions environnementales dépassent les frontières est apparu en dernier lieu dans le domaine des produits dangereux et des accidents industriels. L'ONU a particulièrement pris en compte cet aspect de la pollution dans les réglementations sur les transports de déchets dangereux (Programme des Nations unies pour l'environnement [PNUE], convention de Bâle, 1989), l'élaboration des études d'impact des installations (Commission économique des Nations unies pour l'Europe, 1991), et l'étude et la prévention des accidents industriels (Commission économique des Nations unies pour l'environnement, 1992). Cet aspect s'est bien entendu affirmé dans le cadre de l'Union de l'Europe occidentale (UEO), acteur maintenant déterminant des politiques publiques européennes quant à l'environnement (directives sur la surveillance des mouvements transfrontaliers de déchets, sur la prévention des pollutions par les incinérateurs de déchets dangereux et urbains...).

L'UEO a trouvé dans les thèmes environnementaux un champ d'intervention bien adapté aux objectifs d'harmonisation qu'elle s'est fixés. En effet, il s'agit d'un droit récent, donc peu figé par les usages nationaux ; sa légitimité supranationale est manifeste et scientifiquement fondée ; enfin, des disparités nationales entre les réglementations édictées ou les applications des règles communautaires peuvent créer d'importantes distorsions de concurrence dans les échanges commerciaux. L'intervention de la Commission est donc justifiée aux plans économique et environnemental. En 1992, par exemple, vingt-neuf directives étaient en vigueur concernant la pollution de l'air, onze sur les questions de déchets. L'Acte unique renforce en 1986 cette légitimité, en faisant des exigences en matière d'environnement « une composante des autres politiques de la Communauté ». Le traité de Maastricht, signé fin 1991, la précise en indiquant que l'UEO doit avoir « une politique dans le domaine de l'environnement », dans laquelle les États membres s'engagent à promouvoir « une croissance durable et non inflationniste respectant l'environnement ».

Effectivement, suivant les domaines, 50 à 75 % des textes français traitant d'environnement sont transcrits de directives et de décisions européennes. Par ailleurs, l'Acte unique accélère potentiellement l'action communautaire en donnant au Conseil la possibilité de prendre des décisions en matière d'environnement à la majorité qualifiée et non plus à l'unanimité, disposition indispensable à l'heure de l'UEO à quinze. Le volontarisme réglementaire européen accélère ainsi dans chaque État membre la production de textes et d'initiatives.

En France : quand la demande sociale crée les institutions

Le terme « environnement » date en France des années 60. La réaction institutionnelle qui entraîna en 1971 la création du ministère de l'Environnement, l'un des premiers d'Europe, semble née de deux préoccupations principales : l'impact de la société industrielle sur la santé humaine d'une part, la volonté de préserver des espaces naturels d'autre part. Or, ces revendications trouvent leur source dans la société civile, et expriment une inquiétude devant la profonde transformation du territoire français par l'urbanisation et l'industrialisation, activités agricoles comprises.

Héritière du positivisme*, la France, qui se reconstruit après la Seconde Guerre mondiale, puis développe à toute allure ses usines et ses cités, exploite les ressources du sol et de l'espace du plus vaste pays de l'Europe occidentale dans un esprit de totale confiance et légitimité. En 1957, le philosophe

Bertrand de Jouvenel s'inquiète de l'éviction systématique par les économistes du paramètre « terre » de la théorie de Marx, au profit des seuls « travail » et « capital » : « [cela] a l'inconvénient majeur de faire croire que le flux des biens offerts pour la satisfaction des hommes ne dépend que de l'effort humain, dans une parfaite indépendance à l'égard du milieu naturel ». Le parc naturel de la Vanoise s'ouvre en 1962 dans une indifférence quasi totale.

Pourtant, la même année naît le Service de la conservation de la nature (SCN) au Muséum national d'histoire naturelle, premier interlocuteur de l'État sur les questions d'aménagement du territoire. Ses chercheurs reprennent l'argument de Linné : « Le conservateur de la nature arrive à comprendre l'économie de la planète, dont nos économies humaines, sociales, domestiques ou individuelles ne sont que la conséquence. » Les sociétés de protection de la nature existantes commencent alors à diffuser l'information au grand public. En 1961 paraît le *Courrier de la nature*, organe de la Société nationale de protection de la nature (SNPN), héritière de la Société zoologique d'acclimatation, fondée en 1854.

Le mot « environnement » fait son apparition la même année dans le Larousse. Parallèlement, un petit nombre de personnes créent en 1964 le Centre interdisciplinaire de socio-écologie, dans le souci de produire des outils de gestion opérationnels et d'informer la presse. En 1965, deux ans après *Le Printemps silencieux*, Jean Dorst publie *La Nature dénaturée*. En 1968, alors que les produits industriels sont de plus en plus mis en accusation, se constitue à partir de l'Institut de la recherche agronomique la Société française d'écologie, première incarnation de l'écologie appliquée. La même année, la revendication sociale prend la forme agissante de la Fédération française des sociétés de protection de la nature (FFSPN), aujourd'hui appelée France Nature Environnement (FNE), dont la première réussite d'ampleur est le maintien de l'intégrité du parc de la Vanoise, en 1971. En 1993, la fédération compte environ cent cinquante organismes adhérents et huit cent cinquante mille membres.

Le Conseil national de la protection de la nature (CNPN) date de 1946 ; la loi sur la protection des monuments naturels et des sites, ainsi que la Commission des sites, perspectives et paysages, de 1930 ; celle sur les établissements dangereux, incommodes et insalubres, de 1917. Mais c'est en 1966 que s'est manifestée pour la première fois de la part des pouvoirs publics une préoccupation globale des conséquences de l'organisation économique et sociale sur l'homme et les milieux, dans le rapport au ministère de la Recherche de J. Ternisien. A l'époque, la pollution par le soufre et les hydrocarbures* du site pétrochimique de Lacq agite déjà beaucoup l'opinion publique, et il s'agit d'éviter une aggravation de la situation en protégeant la santé des riverains. Le rapport, qui importe des États-Unis le terme «nuisances» et évoque une «déshumanisation des milieux», recommande de «concilier prévention et économie», en évaluant les dangers des agents nocifs utilisés dans l'industrie et l'alimentation, en déterminant leurs seuils de dangerosité, puis en édictant les normes de prévention correspondantes concernant les eaux, l'air et les aliments.

Simultanément, la création de la Délégation à l'aménagement du territoire et à l'action régionale (DATAR) entérine le caractère transversal des missions d'aménagement du pays. Le sixième Plan propose une action contre les nuisances touchant l'air, les mers et les plages, les médicaments, les aliments, les eaux continentales, le bruit et la vie urbaine. Un premier état de l'environnement est publié.

En 1969, Jacques Chaban-Delmas, alors Premier ministre, annonce ses « Cent mesures pour l'environnement ». En 1970, un haut comité à l'environnement tente de coordonner les compétences disséminées entre la DATAR, les ministères de l'Agriculture, de la Recherche, des Affaires étrangères, du Développement industriel et scientifique, et de l'Équipement. Enfin, sous la pression sociale, Robert Poujade est nommé en 1971 ministre délégué auprès du Premier ministre, chargé de la protection de la nature et de l'environnement.

La conquête de l'existence politique

Depuis, les questions d'environnement furent en France successivement rattachées aux ministères de la Culture (1974 et 1977), de la Qualité de la vie (1976), du Cadre de vie (1978) ou du Tourisme (1981). Les secrétaires d'État de 1981 à 1983, Alain

Bombard et Michel Crépeau, n'ont pas bénéficié d'attributions particulières, mais, en 1983, Huguette Bouchardeau se voit à nouveau rattachée au Premier ministre, avant de devenir ministre à part entière. De mars 1986 à mai 1988, Alain Carignon ne retrouve qu'une fonction de secrétaire d'État rattaché au ministère de l'Équipement. En 1983, Brice Lalonde bénéficie de la permanence d'une sensibilité écologiste dans l'opinion publique et reprend le titre de secrétaire d'État rattaché au Premier ministre.

Ce n'est qu'en 1991 que réapparaît un ministère de l'Environnement à part entière, dont le titulaire se sent suffisamment soutenu par les citoyens pour se désolidariser au besoin du gouvernement, comme le fit Brice Lalonde avant les élections régionales de 1992. Désormais, le ministre de l'Environnement possède une existence autonome dans la vie politique française, et se voit en 1991 pourvu de services extérieurs propres.

Depuis 1981, l'environnement a peu à peu conquis une place de tout premier rang dans les préoccupations françaises. Différents sondages indiquent que, quasi absent des soucis des sondés en 1981, il devenait en 1988 le sixième problème important pour l'avenir, passait quatrième en 1989, puis deuxième en 1990, juste après le chômage ; fin 1992, il dépasse même celui-ci pour 72 % des personnes interrogées. La poussée de sensibilisation commence véritablement après 1986, avec les répercussions de l'émotion allemande devant les pluies acides et avec la survenue d'accidents industriels graves (Bhopāl, Mexico, Bâle,

Lyon) ; elle s'affirme à partir de 1988 avec les affaires de transports internationaux de déchets vers l'Afrique, puis intracommunautaires vers la France, largement relayées par les médias.

Les citoyens de l'UEO ont tous cette préoccupation écologique : en 1992, ils considèrent dans leur majorité que l'environnement a la même importance que le développement économique (79 % des personnes interrogées en France, 61 % au Danemark) ; une proportion non négligeable d'entre eux affirment même qu'il l'est davantage (31 % aux Pays-Bas, 13 % en France).

Les priorités d'intervention relevées en 1987 et en 1988 au moyen de sondages sont, en matière de dépollution générale, l'air et l'eau, la faune et la flore en danger, les déchets dangereux, les risques industriels et nucléaires. En ville, c'est le bruit qui vient en premier, puis la sécurité et la pollution. En 1992, la préoccupation majeure est passée aux déchets ménagers, puis à la pollution de l'eau. A partir de 1993, la pollution atmosphérique liée au développement des déplacements motorisés en agglomération devient le souci principal. Les questions de déchets soulèvent toujours en 1994, depuis leur explosion en 1989, des réactions violentes de l'opinion publique.

Selon un sondage de 1993, la dégradation de l'environnement est imputable d'abord à tout un chacun, ensuite aux industriels, et très minoritairement aux grands équipements ou aux agriculteurs. Le même institut de sondages souligne que, pour la majorité des Français, l'État n'intervient pas assez dans la protection de l'environnement et que, dans toute l'Europe, le public place la principale justification de l'écologie dans la survie des générations futures.

Les principes de la réglementation

Conséquence de la volonté communautaire de légiférer sur l'environnement, la production annuelle de textes réglementaires nationaux a explosé. En France, elle a triplé depuis 1981. Lois, décrets, arrêtés ministériels, circulaires, avis, décisions, directives communautaires transcrites concernent aussi bien la sécurité des laveries automatiques, la dépollution industrielle, le contrôle des produits chimiques et la liste des espèces protégées par région, que la gestion des parcs naturels et des écosystèmes sensibles, l'importation des CFC, la désinfection des déchets hospitaliers ou la redevance sur les nitrates* pour les agriculteurs.

Ces quinze dernières années, les réflexions de l'OCDE et les travaux européens ont imposé ou confirmé quelques grandes orientations pour les États membres : le principe de «pollueur-payeur», la prévention des risques industriels majeurs, le renforcement de la sévérité pénale, une place croissante accordée au public (information, intervention juridique) et aux structures de concertation. Illustrons-les par leur traduction dans la réglementation française.

Le principe du «pollueur-payeur» est né dans les années 60, avec l'instauration de la redevance sur la pollution des eaux, perçue par les agences de l'eau (1964). Ont suivi la taxe parafiscale sur les polluants atmosphériques (1985), la taxe parafiscale sur les huiles de base, finançant la collecte des huiles usées (1986), la taxe sur le bruit des aéroports (modifiée en 1992), la taxe sur les déchets ménagers et assimilés mis en décharge, finançant la modernisation de leur gestion (1992), toutes gérées par l'Agence de l'environnement et de la maîtrise de l'énergie (Ademe). En 1992, la redevance sur la pollution par les nitrates est étendue aux agriculteurs.

Depuis les accidents de Mexico, de Bhopāl et de Seveso, les risques industriels majeurs ont été traités de façon particulière. La directive européenne de 1982, dite «de Seveso», sur la prévention des risques technologiques majeurs, a lancé le débat sur les conditions d'aménagement de l'espace autour des activités industrielles. Elle a été traduite en 1987 en droit français, imposant entre autres que l'urbanisation autour de ces sites soit fortement encadrée par l'État, et que le public dispose d'une information permanente sur les risques encourus.

Effectivement, la place du public et celle de la concertation entre État, élus, acteurs économiques et citoyens, s'accroissent au fil des textes. Pour la France, elle concerne par exemple les secrétariats permanents pour la prévention des pollutions industrielles (structures de concertation entre État, industriels, élus, associations et scientifiques), les plans d'élimination départementaux et régionaux des déchets, les schémas d'aménagement et de gestion des eaux (SDAGE et SAGE), ainsi que les contrats de rivière ou d'agglomération et les chartes d'écologie urbaine.

A mesure que la protection de l'environnement s'apparente à une nécessité morale et sa détérioration à une perte collective, les peines encourues pour lui avoir porté atteinte s'alourdissent. Les modifications apportées en 1985, en 1986 et en 1992 aux lois de 1975 sur les déchets et de 1976 sur les installations classées le prouvent. Simultanément, les associations obtiennent de pouvoir se constituer partie civile devant les tribunaux. Depuis 1992, le responsable d'une pollution ou d'un accident doit de plus rembourser les frais engagés par ceux qui en ont combattu les conséquences.

La loi accorde une importance croissante à l'intervention directe du citoyen, et se soucie explicitement de son information. Celle-ci devient en 1988 une obligation dans le domaine des déchets ; elle s'applique à partir de 1987 à la prévention des risques industriels majeurs, et s'étend aux risques naturels. Des campagnes d'information sont organisées autour des sites à risques par l'État, avec les industriels et les élus locaux.

La notion d'«information» s'enrichit à partir de 1990 d'un souci d'éducation (formation d'enseignants à la prévention des risques majeurs, nombreuses opérations en direction des enfants des écoles...) et de sensibilisation (collecte sélective des déchets, tri à domicile...).

Enfin la loi de 1992 demande, pour obtenir les autorisations de création et d'exploitation des stockages de déchets, des garanties non plus uniquement techniques mais aussi financières ; elles sont destinées, d'une part, à assurer l'État que le futur exploitant est bien en mesure de gérer convenablement le site, et, d'autre part, qu'il a les moyens d'intervenir en cas d'incident. Cette clause correspond à la généralisation, après le sommet de Rio, d'une approche économique de la protection de l'environnement. Tout se passe comme si cette préoccupation accédait culturellement au rang d'élément de réflexion véritable pour les acteurs économiques, ainsi amenés à l'exprimer dans leurs codes habituels.

L'«état de nature», ou que penser de notre environnement ?

Les institutions et les lois créées depuis la Seconde Guerre mondiale tentent de fournir un cadre pour juguler les dégradations que les activités humaines, multipliées par le progrès technique et la croissance démographique, font subir à la planète. En effet, les statistiques internationales peignent de l'état du monde un tableau bien inquiétant.

A l'échelle de la planète

De 1970 à 1990, la population du globe a augmenté de 43 %, passant de 3,7 à 5,3 milliards d'habitants. A la fin du siècle prochain, la planète devrait compter de douze à quinze milliards d'individus. Parallèlement, la marque des activités humaines sur les ressources planétaires s'accentue constamment depuis vingt ans, qu'il s'agisse des prélèvements d'eau (plus 20 %), de la consommation d'énergies fossiles (plus 48 % en tonnes équivalent pétrole [tep]), des rejets corrélatifs du gaz carbonique (plus

48 % également) et des productions de déchets (plus 35 %). La pollution de l'air liée aux industries régresse (baisse de 30 % des oxydes de soufre), alors que les émissions essentiellement dues aux transports s'aggravent, en particulier les oxydes d'azote (croissance de 14 %).

Les rapports entre ces chiffres et les populations concernées sont parlants : l'Amérique du Nord, qui représente 5 % de la population mondiale, consomme 27 % de l'énergie planétaire, tandis que l'UEO, avec 6 % de la population, en utilise 14 %. Mais l'augmentation de la consommation énergétique mondiale, de 48 % en vingt ans, est surtout le fait du reste du monde, soit plus de 85 % de la population mondiale, qui produit actuellement 52 % du gaz carbonique émis. C'est dire combien la croissance à l'occidentale — qui est aujourd'hui le modèle dominant — pourrait être destructrice si elle était extrapolée à l'ensemble du globe. Le Sommet de la Terre, qui, en 1992, à Rio, réunit pour la première fois les chefs d'État de toutes les nations sur les problèmes écologiques, en particulier celui du réchauffement de la planète, mit officiellement en lumière cette solidarité mondiale et cette responsabilité des pays développés quant à l'avenir de la planète.

L'Agenda 21, programme d'action établi lors de ce sommet, met par ailleurs l'accent sur le littoral, partie du globe particulièrement menacée. « On prévoit que la population mondiale dépassera les huit milliards d'habitants en l'an 2020 [dont environ 80 % dans les pays en développement]. Actuellement,

60 % de cette population vit dans des régions côtières, et 65 % des villes de plus de 2,5 millions d'habitants sont situées le long des côtes, plusieurs d'entre elles se trouvant déjà au niveau de la mer ou en dessous de ce niveau.» Cette phrase rappelle l'ampleur des enjeux liés à une remontée des mers en cas de réchauffement global. Elle souligne aussi les dangers de l'agression des littoraux, zones dont la production biologique est extrêmement riche, dont dépendent nombre d'écosystèmes et de riverains, mais à l'équilibre fragile. Elle avertit enfin de la menace environnementale majeure que constituent les grandes villes, par l'impact de leur fonctionnement, mais aussi de leur conception, sur la nature et sur les êtres humains : pollutions des eaux, des sols et de l'air, dépenses énergétiques accrues, imperméabilisation et stérilisation massives de terrains... Effectivement, en l'an 2000, cinquante-neuf des soixante-dix-neuf villes de plus de quatre millions d'habitants se situeront dans le tiers-monde (par exemple, vingt-six millions d'habitants à Mexico, vingt-quatre à São Paulo, seize à Bombay), avec leurs dramatiques carences en assainissement, en hygiène, en approvisionnement en eau potable et en traitement des déchets.

A un moindre degré, on constate en Europe une assez forte disparité quant à l'accès des populations au traitement des eaux usées, qu'il soit mécanique, biologique ou tertiaire : en 1990, 21 % des Portugais, contre 68 % des Français et 98 % des Danois, étaient reliés à un réseau d'égouts équipé.

Une bonne part des prélèvements d'eau provient de l'extension des zones irriguées, avec plus 25 % dans les terres cultivées en permanence et 40 % dans les terres nouvellement exploitées. De 1980 à l'an 2000, les besoins en eau du globe auront doublé, 70 % de la demande étant destinée à l'irrigation. Les zones humides ont reculé de 10 à 25 % suivant les pays, tandis que l'usage des engrais azotés* a progressé de 50 % et que celui des herbicides et pesticides a diminué de 10 à 15 % (sauf en France et en Espagne). Les problèmes d'eau se font particulièrement sentir en zone intertropicale, mais aussi autour de la Méditerranée, domaine très sensible pour l'Europe.

La Méditerranée : où l'environnement touche la politique

La zone méditerranéenne est depuis 1975 (convention de Barcelone) un objet de préoccupations pour l'UEO et pour les pays riverains, même si les difficultés de mise en œuvre d'une politique concrète commune sont jusqu'à présent demeurées infranchissables. Cette mer quasi fermée, au renouvellement hydrique lent et à l'évaporation forte, est depuis l'Antiquité un lieu privilégié d'implantation humaine, du fait de son climat exceptionnel, de ses ressources naturelles, combinant terre et mer, de sa situation de carrefour aisément praticable. Cependant seuls 40 % de ses 46 000 km de bande côtière, souvent étroite, sont topographiquement utilisables, dont 4 000 km seulement pour ses rives est et sud.

Son caractère attractif ne s'est pas démenti depuis. En 1985, on comptait sur les 18 000 km de littoral accessible 133 millions d'habitants, dont 82 millions de citadins, avec sept villes de plus de 2 millions d'habitants, cinquante-huit ports pétroliers, cinquante raffineries et onze prévues, soixante-deux centrales thermiques et trente-deux en projet. Les citadins seront 200 millions de plus en 2025, pour une population totale de 380 à 440 millions de personnes. Leur consommation énergétique serait de 1 à 1,5 milliard de tonnes équivalent pétrole en 2025, contre 600 millions en 1985.

Cent millions de touristes « envahissent » le bassin trois mois par an, essentiellement sur les littoraux, accentuant les problèmes déjà aigus d'approvisionnement en eau (un pays sur trois est actuellement en situation de surexploitation de ses ressources ; or, dans le Sud et l'Est, la consommation pourrait être triplée ou quadruplée en 2025), d'assainissement (4 millions de mètres cubes pollués rejetés en 1990 par le tourisme, le triple en 2025), de traitement des déchets (2,8 millions de tonnes par an provenant des touristes, trois ou quatre fois plus en 2025) et d'urbanisation sauvage (4 000 km^2 d'emprise totale en 1990, dont 90 % en France, en Espagne et en Italie, le double en 2025). Suivant les scénarios du Plan bleu, les visiteurs seraient en 2025 de quatre à sept fois plus nombreux qu'aujourd'hui...

Les besoins en eau de l'agriculture méditerranéenne sont considérables. En effet, 80 % de la surface cultivée est irriguée, soit 16 millions d'hectares ;

cette superficie s'accroît annuellement de 1,2 %, entraînant l'utilisation de 2 milliards de mètres cubes d'eau supplémentaires. Le coût de l'eau devrait donc augmenter fortement. L'irrigation, en épuisant les nappes phréatiques⋆, crée un appel d'eau de mer dans les sols, qui progressivement deviennent de plus en plus salins : c'est le cas de 30 % des surfaces cultivées de la Grèce et de la vallée du Nil, et de 50 % des rives de l'Euphrate. De plus, les consommations d'engrais et de pesticides s'intensifient très rapidement, et pourraient encore être multipliées par cinq à huit d'ici 2025. En conséquence de ces impacts divers, plus d'un quart des espèces particulières à la zone méditerranéenne sont aujourd'hui menacées.

On ne fera ici qu'évoquer la surpêche dramatique qui affecte la Méditerranée, la forte croissance des rejets polluants de toutes sortes (600 000 tonnes de pétrole déversées par an, trois cents pétroliers en permanence sur l'eau ; en 2025, de 1,6 à 2,1 millions de tonnes de matières en suspension domestiques seront rejetées sur les côtes), l'augmentation des zones littorales consacrées aux transports internationaux, en particulier routiers (70 000 km² sur le bassin en 2025, dont 10 000 à 20 000 en zone côtière, contre environ 40 000 en 1980) et aériens.

L'ampleur de la pression humaine sur un patrimoine d'intérêt écologique et culturel unique, première région touristique mondiale, fait de la réussite d'une politique concrète commune une priorité de la communauté internationale, et, en premier lieu, des pays riverains.

Panorama sectoriel de la France

En quinze ans, les déchets industriels rejetés dans l'eau ont été globalement divisés par deux. Les investissements de dépollution consentis par les industries ont crû depuis 1985 d'environ 8 % par an dans les domaines de l'eau et des déchets, et de 5 % par an dans celui de l'air. L'ordre de grandeur des investissements annuels anti-pollution de l'industrie est de 19 milliards de francs. En 1992, pour la prévention des risques industriels majeurs, en application de la directive Seveso de 1982, les dépenses en études étaient de 450 millions de francs, et les investissements de 2,5 milliards de francs, sur environ trois cents sites concernés.

La protection de l'environnement n'a pas connu les mêmes avancées dans les autres secteurs : l'utilisation de nitrates (en tonnes à l'hectare) dans l'agriculture a augmenté de 17 % entre 1980 et 1988 ; ce n'est que depuis 1992 qu'existe le principe d'une redevance spécifique dans ce domaine. Aussi 30 % de la population est-elle approvisionnée en eau potable trop nitratée (plus de 40 milligrammes par litre [mg/l]). Seulement 52 % de la pollution domestique étaient en 1990 raccordés à une station d'épuration*. Pour appliquer la directive européenne de 1991, les investissements nécessaires, estimés à 75 milliards de francs, entraîneront une hausse sensible du prix de l'eau.

En ce qui concerne la pollution de l'air, parmi les émissions gazeuses dues aux transports, les oxydes d'azote ont augmenté de 20 %, le gaz carbonique de

Station d'épuration des rejets aqueux en Provence.
Ces quinze dernières années, la quantité totale de rejets industriels déversés dans l'eau a été divisée par deux, avec, pour certains polluants, des diminutions locales de 90 %. Un effort équivalent est maintenant attendu de la part des villes, en particulier celles qui se trouvent en bordure de lac, de rivière ou de mer.
Ph. © DRIRE Provence-Alpes-Côte d'Azur.

25 % et les poussières de 37 % entre 1980 et 1988, tandis que le transport routier croissait de moitié environ. Cette hausse se poursuit avec celle de la demande globale de transport sur route, qu'il s'agisse de voyageurs ou de marchandises. Elle reste plus rapide que la croissance économique. Elle devra être maîtrisée si l'Europe compte respecter ses engagements pris à Rio sur l'effet de serre, ne pas dépendre économiquement d'un seul mode de transport entièrement lié au pétrole, et enfin résoudre les problèmes de santé, de sécurité, de congestion urbaine et de paysage qui en découlent. En effet, ce

secteur participe dorénavant à l'émission de 13 % des oxydes de soufre, de 72 % des oxydes d'azote, de 33 % du gaz carbonique, de 55 % des composés organiques volatils et de 87 % du monoxyde de carbone.

Le bruit est une nuisance dont la gravité reste souvent sous-estimée. Aujourd'hui, alors que le seuil de gêne et de fatigue auditives se situe vers 60 décibels (dB), entre sept et huit millions de personnes sont exposées chez elles à un bruit moyen supérieur à 65 dB. Ce bruit provient essentiellement des transports, par route, par air ou par chemin de fer. Si les zones présentant plus de 65 dB se réduisent, celles présentant 55 dB s'étendent. On a estimé le coût économique et social des perturbations psychologiques et physiologiques actuellement induites à 100 milliards de francs, dont 25 de coût médical direct ; 11 % des accidents du travail et 20 % des internements psychiatriques seraient imputables au bruit. La lutte contre la pollution sonore a été engagée à la fin des années 70, avec l'instauration d'une taxe sur les aéroports, destinée à équiper les logements situés en zone de bruit excessif.

Le problème phare des années 90 est celui des déchets. La production annuelle de déchets ménagers correspond aujourd'hui à environ 310 kg par habitant, soit 18 millions de tonnes, masse en progression de plus du quart depuis 1981. Leur collecte dessert 92 % de la population, contre 87 % en 1985, environ 45 % des ordures collectées allant en décharge sans tri ni traitement et 41 % étant incinérées. C'est pour remédier à cette situation que la loi de 1992 prescrit l'abandon de la mise en décharge directe pour juillet 2002. Celle-ci concerne non seulement les déchets des ménages, mais aussi tous ceux des communes (boues de station d'épuration, déchets d'espaces verts, déchets des commerçants et des artisans...).

Les investissements nécessaires pour assurer les systèmes de collecte, de tri, de compostage, d'incinération avec récupération d'énergie, sont évalués à environ 80 milliards de francs. Pour aider leur réalisation, une taxe sur la mise en décharge, de 20 francs par tonne, a été instaurée en 1992.

Les déchets industriels concernés par ces dispositions, dits « déchets banals », c'est-à-dire ni inertes ni toxiques (40 millions de tonnes), sont pour 58 % mis en décharge contrôlée, pour 18 % traités et pour 24 % (dont 18 % de ferraille et 5 % de papiers et cartons) valorisés. La politique définie en 1990 accorde une priorité à la réduction de la production de déchets à leur source, puis à leur valorisation sous forme de matériau ou d'énergie, et enfin à leur incinération ; la mise en décharge est réservée aux déchets ultimes, c'est-à-dire ceux pour lesquels aucun traitement supplémentaire n'est pertinent.

Le perfectionnement de la gestion des déchets et le renforcement de la sévérité des normes européennes entraînent d'ores et déjà une hausse importante des coûts. On estime qu'entre 1989 et 1999 le marché européen de la protection de l'environnement passera de 300 à 610 milliards de francs, dont 33 % seront consacrés à traiter des déchets, 44 % à épurer et à rendre l'eau potable, 20 % à dépolluer l'air, le reste (3 %) allant à la lutte contre le bruit, essentiellement dans l'insonorisation de logements et de bâtiments divers. Pour l'Europe de 1992, dont la dépense totale en faveur de l'environnement représente 1,2 % de son produit intérieur brut (PIB), soit 63 milliards d'écus (au moment ou nous éditons ce livre, 1 écu vaut environ 6 francs français), on relève que 49 % de cette somme a été consacrée à l'eau, 33 % aux déchets, 13 % à l'air, 2 % au bruit et 3 % à la protection de la nature.

Quant au cadre de vie et à la protection des sites, ils étaient visés depuis les lois de 1906 et de 1930 par des dispositions générales de protection. Ainsi fut créée en 1957 la réglementation sur les réserves naturelles. Depuis, la loi en a précisé la pratique, notamment en imposant en 1993 des règles paysagères pour le permis de construire et pour les entrées de ville, en 1995.

De nouveaux outils de gestion de l'environnement

La législation s'appuie sur l'édiction de normes dont le respect fait l'objet d'un contrôle régulier et dont la transgression est soumise à des sanctions. Elle est très efficace pour une protection concrète de l'environnement, face à des sources importantes et concentrées de nuisances et de risques, telles les entreprises industrielles de grande taille. C'est d'ailleurs dans ce domaine que les plus grands progrès ont été jusqu'ici obtenus.

En revanche, les moyens de l'État ne permettent pas de développer ce type de contrôle avec la même intensité auprès des petites et moyennes entreprises (PME). Il est aussi moins aisément applicable aux collectivités locales qui exploitent ou font exploiter des installations de nature industrielle (traitement et stockage d'ordures ménagères, station d'épuration des eaux usées, usine de production d'eau potable). Les illustrations qui suivent sont en majorité prises en France, mais des instruments divers se répandent partout, plus ou moins rapidement. Dans nombre de cas, l'exemple vient des pays anglo-saxons.

Des outils techniques ont été introduits, tels que l'autosurveillance par l'exploitant de ses rejets dans l'eau et dans l'air (1988), le contrôle par l'État se faisant par des inspections inopinées. Les certifications et les audits recommandés par la CEE se généralisent (règlement Écoaudit de 1992).

Les gouvernements peuvent avoir recours à des accords volontaires avec les professionnels, «engagements de progrès» ou «accords cadres», par lesquels des secteurs, généralement industriels, se fixent des objectifs et des échéanciers plutôt que de se voir imposer une réglementation : c'est le cas des accords américains CAFE (Corporate Average Fuel Efficiency) pour limiter la consommation des automobiles. Le regroupement d'entreprises peut aussi prendre la forme d'une constitution semi-obligatoire d'un fonds commun de capitaux privés ou mixtes, destiné à financer une action particulière. Ainsi fonctionne la gestion des déchets d'emballages ménagers. En Allemagne et en France, dans le cadre du *Duales System Deutschlands* et d'Écoemballages, les entreprises consommatrices d'emballages grand public cotisent au prorata des emballages qu'elles mettent sur le marché, pour assurer avec les collectivités locales un traitement correct des déchets correspondants.

Les États peuvent choisir d'émettre des signaux économiques afin de favoriser l'adoption d'autres comportements : en France, taxation des rejets d'eaux polluées instaurée dès 1964, ou taxe sur la pollution de l'air établie en 1985. Les primes des compagnies d'assurances ou les conditions de prêt des banques peuvent constituer des incitations efficaces. Lors de leur conférence internationale se déroulant en septembre 1994 à Genève, les banques ont décidé d'intégrer à leurs paramètres la qualité des relations entre l'entreprise et son voisinage. Tous les automobilistes d'Europe ont été incités à utiliser de l'essence sans plomb par la différence de fiscalité qui la rend moins chère que le super plombé. Le projet de taxation du gaz carbonique ou de l'énergie consommée, toujours en discussion au niveau international, ferait partie de cette catégorie d'action visant à donner un coût actuel à des pratiques pouvant n'avoir de conséquences visibles que dans l'avenir.

Enfin, les pouvoirs publics peuvent influencer les consommateurs en les informant sur le caractère plus ou moins écologique des produits, par l'attribution d'un label : «Ange bleu», allemand ; «Cygne blanc», scandinave ; «NF environnement», français ; labels canadien, japonais, singapourien... La difficulté rencontrée aujourd'hui dans l'instauration d'un «écolabel» européen unifiant les labels nationaux réside dans le fait que les critères utilisés par chaque pays diffèrent suivant ses priorités environnementales et ses habitudes. Ainsi, le label allemand se fonde entièrement sur la minimisation des déchets, même si elle entraîne un surcroît de pollution de l'air, dû aux transports multipliés (collecte), ou de l'eau, dû aux lavages (consigne d'emballages). Aussi commence-t-on à voir se répandre les bilans écologiques normalisés, qui décrivent les impacts sur l'environnement engendrés par le produit concerné depuis la production des matériaux le constituant jusqu'à son élimination comme déchet.

Les entreprises commencent donc à prendre en compte les préoccupations environnementales dans leur gestion. Mais le problème se complique lorsqu'on veut maintenir l'équilibre d'un écosystème, et plus seulement réduire une pollution donnée. Outre que les paramètres de description se complexifient, les priorités d'action relèvent alors d'une négociation locale entre les divers usagers de la zone concernée. L'intégration des préoccupations environnementales dans l'aménagement du territoire qui implique l'écartèlement du lieu de décision finale entre les collectivités et les services de l'État illustre bien la difficulté de l'exercice.

Le recours à des instruments diversifiés de régularisation et d'orientation ne peut être accepté par l'opinion publique que si elle a confiance dans le partenariat entre acteurs politiques et économiques. Cependant une reconnaissance de l'insuffisance de l'approche purement réglementaire semble s'installer, tandis que se développe justement un sentiment de méfiance généralisé envers les modes de gestion actuels de l'environnement.

Les problèmes d'environnement se posent de façon de plus en plus pressante et complexe, avec des échéances insoutenables, des incertitudes scientifiques manifestes, un étalement des phénomènes dans le temps et l'espace, des acteurs aux priorités contradictoires...

... Là où l'approche technologique et sectorielle ne suffit plus, quelles démarches proposer ?

De la nature
à la culture

É voquer le sommet de Rio fait encore sourire dans certains milieux de l'entreprise, de la finance, voire de la politique. Bien sûr, aucune police internationale nantie de pouvoirs de sanctions contre les nations contrevenantes n'a été créée par cette assemblée de chefs d'État. Comment cela se pouvait-il, puisque le propre du droit international réside jusqu'à présent dans la parité et la souveraineté des États, donc l'impossibilité pour une organisation supranationale d'exercer envers l'un d'eux une rétorsion quelconque, hormis les embargos, plus ou moins respectés d'ailleurs ?

Néanmoins, il serait imprudent de sous-estimer l'influence culturelle et politique des mots prononcés

Le barrage hydroélectrique de Petit-Saut, en Guyane (page précédente).
Le barrage détruit des milliers d'hectares de forêt tropicale et asphyxie la rivière pour alimenter en électricité la base aérospatiale de Kourou, d'où sont lancées les fusées Ariane. Quelles méthodes permettent de comparer les coûts et les bénéfices de telles décisions ?
Ph. © G. Michel / Bios.

lors de cette réunion et répétés par la suite. Ainsi, bien que l'Organisation mondiale du commerce (OMC) ne soit qu'un lieu d'échanges de points de vue sans pouvoir réglementaire, et qu'elle ne supprime aucunement la domination économique du Japon et des États-Unis, elle rend quand même à la longue psychologiquement plus difficiles les incartades unilatérales, même des plus puissants.

Or, pour la première fois, la Déclaration de Rio concrétise au niveau politique l'interdépendance des États, quel que soit leur niveau de développement, pour garantir l'équilibre de la vie sur la Terre, ainsi que les devoirs moraux et donc financiers des pays développés envers les autres, dans ce dessein. S'il y a loin de la coupe aux lèvres, quelques déclarations méritent cependant d'être soulignées.

Ainsi, pour la Conférence des Nations unies pour le commerce et le développement (CNUCED), la Terre est considérée comme un «tout marqué par l'interdépendance». Nous sommes encore loin d'un droit de la nature ou d'une mise sur le même plan de l'homme et de l'animal, car « les êtres humains sont au centre des préoccupations relatives au développement durable ». En revanche, l'homme, désormais, ne peut se penser hors de son biotope.

La planète est un système clos dont rien ne peut véritablement s'éliminer. En conséquence, «les États doivent coopérer dans un esprit de partenariat mondial en vue de conserver, de protéger et de rétablir la santé et l'intégrité de l'écosystème terrestre [...] ». L'homme reconnaît donc sa responsabilité envers son support naturel, différence philosophique notable avec les siècles passés.

Les pays riches acceptent implicitement le rôle déterminant du modèle occidental dans l'agression de l'environnement et « admettent la responsabilité qui leur incombe dans l'effort international en faveur du développement durable, compte tenu des pressions que leurs sociétés exercent sur l'environnement mondial et des techniques et des ressources financières dont ils disposent ». Il est vrai que l'Afrique et l'Asie, hormis le Japon, renferment les trois quarts de l'humanité, et ne possèdent que 12 % des véhicules motorisés.

Quoique attachés au principe de leur autonomie de gestion interne et pourvus de régimes politiques pour le moins divers, les États s'auto-enjoignent d'établir des processus informatifs et participatifs sur les questions environnementales, partant de l'idée que la meilleure façon de traiter les questions d'environnement est d'assurer la participation de tous les citoyens concernés.

Enfin, les principaux problèmes visés sont bien entendu ceux qui touchent à l'équilibre global, c'est-à-dire, en 1992, l'effet de serre et la dégradation de la couche d'ozone stratosphérique : « En cas de risque de dommages graves ou irréversibles, l'absence de certitude scientifique absolue ne doit pas servir de prétexte pour remettre à plus tard l'adoption de mesures effectives visant à prévenir la dégradation de l'environnement. » Ce principe, dit « de précaution », a de lourdes conséquences sur les choix techniques et politiques nationaux. Il suppose que la reconnaissance de l'éventualité d'un risque d'ampleur planétaire, tel que le réchauffement climatique, doit entraîner toutes les décisions correctrices effectivement supportables par chaque État.

La plupart des problèmes environnementaux, qu'ils touchent les écosystèmes ou la santé humaine, qu'ils soient locaux ou globaux, comportent une forte proportion d'incertitudes scientifiques : carence récurrente des données toxicologiques, écotoxicologiques ou épidémiologiques ; manque de connaissance de la dynamique des systèmes complexes ; prévisibilité difficile des effets de seuil et de retard... Les querelles de scientifiques, les contradictions des expertises et contre-expertises sont devenues des données familières au grand public, ce qui entraîne une remise en question des processus de décision traditionnels.

La Déclaration de Rio montre les avantages mais aussi les inconvénients d'un texte mondialement consensuel : de nombreux passages peuvent se prêter à des interprétations diverses. Bien sûr, cela correspond aux différentes capacités politiques, techniques et financières que les États peuvent déployer ; mais cela recouvre aussi des philosophies et des priorités assez divergentes.

Environnement et
besoins sociaux

Le « développement soutenable » : des traductions diverses

En 1993, la cellule de prospective de la Commission des Communautés européennes enquête auprès de divers organismes officiels des douze membres de l'UEO. La place accordée à l'environnement est très variable dans leurs rapports, particulièrement dans le chapitre résumant leur conception des facteurs qui déterminent leur évolution socio-politico-économique.

L'Espagne et le Portugal ne le mentionnent pas parmi ces facteurs. Pour la Grèce, le Luxembourg, la France et l'Allemagne, il semble apparaître surtout comme un obstacle potentiel aux échanges ou à la croissance économique. Ces pays mettent en avant les dangers que la faible prise en compte de l'environnement par certains États, qui maintiendraient leurs dépenses réduites, ferait courir à la concurrence commerciale des États plus réglementés.

La Belgique présente plutôt l'écologie comme un ensemble d'opportunités économiques, cependant elle exprime comme la France les questions énergétiques en termes de réduction des pollutions et de la demande, plutôt qu'en termes de raréfaction des ressources.

L'Irlande considère que ses problèmes de pollution des eaux, certaines pratiques agricoles et l'aménagement de son territoire affectent son potentiel touristique et ses exportations alimentaires.

Au Danemark, la valeur «nature» arrive au deuxième rang, après la famille et les amis. Les entreprises danoises ont très tôt intégré l'environnement dans leur gestion, utilisant des outils tels que les analyses de cycles de vie, ou «écobilans», des procédés industriels. Le rapport reflète les inquiétudes du pays concernant son éventuel avenir de «nation de transit» pour les camions européens. Les équipements de dépollution, l'image «verte» des entreprises et la préservation du territoire constituent pour le Danemark des points de passage obligés.

Les Pays-Bas promeuvent une forte politique de protection de l'environnement. En effet, leur territoire est exigu, et vulnérable à la pollution des sols et des nappes ; leur population est très dense, et produit de grandes quantités de déchets ; leur agriculture, très intensive, est extrêmement polluante ; enfin, les pays voisins exportent chez eux, par voies aériennes, fluviales et routières, des polluants nombreux. De plus, la question de l'effet de serre y est prise très au sérieux, car la moitié du pays se situe sous le niveau de la mer, et serait submergée en cas de réchauffement du climat et de fonte des glaces polaires.

C'est la Grande-Bretagne qui, dans son rapport, développe le plus largement les facteurs environnementaux. Elle observe que la fuite des citadins hors des villes chères et congestionnées menace les espaces naturels, en raison de constructions nouvelles, d'une forte intensification agricole, du déplacement vers les campagnes d'activités polluantes, et des rejets de déchets qui accompagnent ces réimplantations. Elle craint aussi que les villes perdent leur caractère attractif à cause de l'engorgement automobile qui accompagne l'installation des aires de commerce et de loisirs dans des banlieues mal desservies par les transports collectifs. Elle souligne la contamination croissante des eaux et des sols par les rejets industriels, agricoles et domestiques, et par les décharges. Enfin, elle envisage un passage massif au gaz et aux énergies renouvelables, et une forte réduction de la demande de transports motorisés.

Bien entendu, on ne saurait établir de relations directes entre les teneurs de ces déclarations et les politiques de protection de l'environnement réellement développées sur le terrain. Sans affirmer que les meilleures politiques environnementales sont les plus onéreuses, on constate que cinq pays, l'Allemagne, les Pays-Bas, la France, le Danemark et le Royaume-Uni, dépensent dans ce domaine plus de 1 % de leur PIB. Les autres États sont aussi ceux où l'opinion juge la croissance économique plus importante que l'environnement.

Ces descriptions montrent ce que recouvre théoriquement le terme «environnement» pour chaque pays. Par exemple, l'attractivité des villes fait explicitement partie de la réflexion sur l'environnement en Grande-

Bretagne, mais pas encore en France. Quant au souci des espaces naturels, la diversité des approches nationales relève plutôt du domaine culturel. Néanmoins, culturel n'est pas synonyme d'inamovible : la généralisation mondiale des comportements américains démontre quotidiennement l'inverse.

Si les États membres de l'UEO ont officiellement exprimé des points de vue très divers sur la place de l'environnement dans la définition de leur avenir, cette diversité d'opinions est encore plus patente lorsqu'il s'agit du Japon, décidé à fournir au monde un modèle environnemental, du moins sur le plan des prouesses et des exportations technologiques ; de l'Amérique du Nord et sa constellation d'États, aussi divergents sur ce sujet que la Californie et le Texas ; ou des pays moins riches, pour lesquels l'environnement reste souvent, malgré des exceptions notables comme la Tunisie, une invention des nations favorisées destinée à protéger leur suprématie...

Nouvelles sciences, nouvelles revendications

La montée du vote écologiste s'est souvent accompagnée d'un sentiment de défiance de l'opinion publique envers les institutions et les acteurs prépondérants du domaine : élus, industriels, journalistes, administrations, à l'exception parfois du ministère de l'Environnement. En France, plusieurs sondages montrent que les industriels et les élus arrivent bons derniers quant à la crédibilité de leur communication sur la sécurité, derrière les écologistes et les inspecteurs de l'État, et surtout les scientifiques. En matière d'accident, l'opinion publique considère que l'État, chargé d'assurer le contrôle des installations, partage la faute avec l'entreprise. Aussi la demande d'une intervention réglementaire accrue de l'État est-elle forte : par exemple, un sondage de 1991 sur la sécurité industrielle montre que, pour les personnes interrogées, l'État doit pouvoir interdire aux riverains d'une usine dangereuse de faire construire ou étendre leur maison près de celle-ci. De plus, en matière de prévention des pollutions et des risques, l'opinion publique pense, à une forte majorité, que l'organisation de la sécurité n'est pas satisfaisante, que la vérité est dissimulée par les responsables, publics et privés, particulièrement pour ce qui touche aux déchets chimiques et au transport de matières dangereuses, davantage que dans les domaines pétrochimique ou nucléaire.

Cette méfiance croissante se concrétise dans l'opposition parfois très violente que rencontrent certains projets, publics ou privés : TGV sud-est, autoroutes, stockage souterrain de déchets radioactifs, stockages de déchets industriels spéciaux, décharges et incinérateurs d'ordures ménagères. Nombre de projets touchant au traitement de déchets ont dû être de ce fait abandonnés. C'est en s'appuyant sur ce sentiment d'opposition que Ségolène Royal, alors ministre de l'Environnement, a obtenu en 1992, de façon spectaculaire, l'arrêt brutal des importations d'ordures ménagères d'Allemagne, alors que rien ne l'y autorisait dans les textes communautaires. Cependant, le

Conseil des ministres européens de l'Environnement a suivi le mouvement, et soumis à de très fortes restrictions l'importation et l'exportation de déchets à l'intérieur de la CEE, subordonnant dans ce cas au souci environnemental sa préoccupation, jusqu'ici primordiale, de libre-échange.

Quant à l'appréciation de la situation actuelle, malgré les progrès accomplis dans certains secteurs, les sondages expriment un sentiment de détérioration générale. Cette impression, apparemment paradoxale, est sans doute liée à des informations de deux types : d'une part, la large diffusion dans le grand public de thèmes inquiétants, tels que l'effet de serre, le trou de la couche d'ozone et les CFC ; d'autre part, l'expérience quotidienne de la difficulté croissante à circuler dans les villes, de l'extension des agglomérations, repoussant toujours plus loin les espaces proprement ruraux au profit de zones «rurbaines*» banalisées, ou encore de l'invasion continue des zones de calme par un bruit omniprésent, phénomène qualifié d'«extension des taches grises» ou de «médiocrisation».

Depuis peu, les sondages indiquent que les individus prennent conscience de leur part de responsabilités dans la dégradation de l'environnement. De problème exogène dont les responsables sont montrés du doigt, la préservation du cadre de vie actuel et des conditions de survie des générations futures devient l'affaire de tous. On observe cette tendance notamment à travers les fortes adhésion et participation aux expériences de tris des déchets ménagers en France. La possibilité de taxes supplémentaires consacrées à la protection de l'environnement n'est pas non plus rejetée par les personnes interrogées en France ou aux États-Unis (sept électeurs californiens sur huit approuvaient par référendum l'instauration de telles taxes entre 1970 et 1980).

L'importance attachée dans toute l'Europe à l'écologie, même en période économique difficile où le problème du chômage est prégnant, reflète un mouvement profond. En effet, la dégradation de l'environnement rend manifestes les lacunes existant dans les connaissances des décideurs socio-économiques traditionnels : les disciplines considérées comme majeures, les mathématiques, la physique et l'économie, n'ont donc pu prendre en compte les données d'autres savoirs aujourd'hui invoqués, tels que l'écologie, la biologie, la sociologie et l'épidémiologie. Par ailleurs, leur logique de modélisation et de déduction, appliquée à des objets longtemps perçus comme passifs et indépendants de l'observateur, n'est pas adaptée à l'appréhension de phénomènes complexes, ni à la gestion d'une irréductible et souhaitable diversité. C'est ce qu'exprime le mathématicien René Thom en écrivant : «Il ne s'agit nullement de prétendre que la matière vivante échappe aux lois de la physico-chimie, mais seulement d'avancer que ces lois — telles qu'elles sont connues et appliquées — sont le plus souvent incapables de fournir une description prédictive du comportement local de la matière organique ou inorganique.»

En d'autres termes, non seulement la connaissance mobilisée par une discipline, mais aussi sa logique elle-même, peuvent être mises en défaut par le phénomène auquel elles prétendent s'appliquer. Cette position est majoritairement relayée par la classe moyenne, à l'activité de plus en plus massivement tertiaire : elle exprime une revendication de l'accès aux décisions, au nom de savoirs différents, d'approches globales, et du patrimoine commun de l'humanité opposé à la notion de propriété privée. A ce mouvement sont venues s'ajouter en France, d'une part, une méfiance nouvelle à l'égard de l'État et de la technique après l'accident de Tchernobyl et, d'autre part, la constatation de l'apparent désarroi institutionnel devant le chômage ou de la nécessaire rénovation des modes de socialisation.

Pouvoir réglementaire et pouvoir judiciaire

La justice aurait pu fournir un interlocuteur visible sur l'environnement dans le fonctionnement institutionnel, soit en produisant un contre-discours sur les priorités à respecter, soit en affirmant son pouvoir de sanction. Mais elle s'est jusqu'ici peu consacrée aux questions environnementales, laissant le citoyen assister à un débat dont les participants se réduisent souvent à l'État et aux acteurs économiques, arbitré par des experts officiels. Ce fut longtemps le cas dans nombre de pays de droit romain. La tradition anglo-saxonne, assise sur une loi générale s'appuyant sur la jurisprudence et non sur les textes administratifs, est en forte opposition avec ce schéma.

C'est dans le domaine des infractions de chasse et de pêche, puis dans celui de l'urbanisme, que la justice intervient aujourd'hui le plus en ce qui concerne l'environnement.

De fait, la justice reste pénalement peu impliquée dans les affaires environnementales : celles-ci ne concernent que 2 % des condamnations annuelles. Les raisons de cette faible intervention judiciaire sont diverses. Le droit de l'environnement est complexe, très technique, en renouvellement constant, et les magistrats n'ont ni le temps ni les moyens d'investir ce domaine ; beaucoup de condamnations sont prononcées sur la simple base d'un article du Code rural stipulant que «quiconque aura jeté, déversé ou laissé écouler dans les cours d'eau, directement ou indirectement, des substances quelconques dont l'action ou les réactions ont détruit le poisson ou nui à sa nutrition, à sa reproduction ou à sa valeur alimentaire sera punissable».

De plus, l'environnement demeure au second plan des priorités des juges. Les liens de causalité, la notion de dommage et les répartitions de responsabilité sont souvent inopérants dans les délits environnementaux. Les associations n'ont pu que tardivement se constituer partie civile. Les inspecteurs considèrent que le recours à la justice constitue un aveu d'impuissance et ne résout pas leur problème. Enfin, la grande majorité des peines prononcées sont des amendes, d'un montant moyen de 3 600 francs en 1991 (10 500 francs en urbanisme, 6 000 francs en installations classées...). Parmi les questions environnementales génératrices de contentieux, il faut souligner la place particulière occupée par les déchets : alors que 5 % des arrêtés préfectoraux concernent ce domaine, il fournissait, en 1989, 65 % des litiges.

Dans le domaine de l'environnement industriel, on constate qu'en France les poursuites sont peu nombreuses : entre 10 et 25 % des procès-verbaux connaissent des suites judiciaires, dont la moitié au moins se soldent par des relaxes. D'où l'impression que l'environnement reste un sujet débattu uniquement entre les techniciens de l'État et les entreprises, sans ouverture sur le droit commun, perçu par l'opinion publique comme une garantie de transparence et d'équité.

Les sanctions pénales ont néanmoins sensiblement accru leur sévérité depuis 1981. Elles ont élargi le champ des motifs de poursuite retenus, aggravé le montant des amendes et la durée des peines de prison encourues. En France, le montant moyen des amendes a triplé depuis 1984, passant de 1 150 francs à 3 600 francs. Les cas traités par la justice connaissent des dénouements de plus en plus lourds : en 1986, la Vieille Montagne, à Decazeville, est condamnée à 30 000 francs d'amende pour pollution du Lot ; en 1991, le président-directeur général de Protex est condamné à 120 000 francs d'amende et à un an de prison avec sursis pour pollution de la Loire. Les dégâts, estimés à 100 millions de francs, ne seront pas remboursés.

Les suites des marées noires illustrent bien ce propos. En 1978, l'Amoco Cadiz déverse 222 000 tonnes de pétrole au large de la Bretagne ; en 1992, la société

Décharge de déchets industriels à Ustí nad Labem, en Bohême du Nord.
L'enfouissement, sans précautions, des déchets fut durant des siècles une pratique courante et tolérée. Depuis une vingtaine d'années seulement, les pays industrialisés occidentaux la condamnent. Pour l'ensemble de la planète, la pollution des sols, qui menace les réserves d'eau douce et la fertilité des terres, est un problème grave et coûteux, relevant de la solidarité internationale.
Ph. © D. Dron.

est condamnée à environ 1,5 milliard de francs de dommages et intérêts. En 1989, l'Exxon Valdez rejette 38 000 tonnes de brut près des côtes de l'Alaska ; la société Exxon se voit dès 1994 contrainte à verser 6 milliards de dollars.

Il n'en reste pas moins que les indemnisations pour pollution représentent jusqu'à présent pour les entreprises des dépenses bien moindres que les investissements préventifs, avec respectivement en moyenne 0,02 % et 2 % du chiffre d'affaires.

L'intervention de la justice sur les questions d'environnement n'évolue pas seulement dans sa pratique : la loi française de mars 1994 réformant le Code pénal a introduit des modifications de principe marquées. La mise en danger de l'équilibre des milieux naturels y est reconnue comme un motif d'incrimination à part entière, pouvant conduire aux assises des personnes morales (entreprises, collectivités locales), alors que seul le cas de personnes physiques pouvait jusqu'ici relever du pénal. La peine suprême de cessation immédiate d'activité est désormais prévue. Ces évolutions correspondent sans nul doute à une demande sociale et à une mise en cause des entités institutionnelles ou économiques, au moins autant sur un plan symbolique que pour des questions pratiques de recherche de responsabilité dans des organisations de plus en plus complexes.

Ajoutons dans ce contexte que la loi proposée à l'automne 1994 par le ministre français de l'Environnement inscrit dans le droit le principe de précaution retenu au sommet de Rio, selon lequel «l'absence de certitude, compte tenu des connaissances scientifiques et techniques du moment, ne doit pas retarder l'adoption de mesures visant à prévenir un risque de dommages graves et irréversibles à l'environnement». Cette disposition pourrait marquer un tournant important dans la hiérarchie théorique et légale des critères de décision et des valeurs sociales.

Actuellement, ce sont les États-Unis qui fournissent l'exemple extrême de la conception jurisprudentielle du droit de l'environnement : le cas le plus fameux est celui de la loi sur les sols pollués selon laquelle toute société ayant un lien juridique avec un site contaminé peut être poursuivie pour réparation des dommages et remise en état, qu'il s'agisse de l'entreprise à l'origine de la pollution, de celle ayant acheté le terrain bien plus tard, ou même de la banque ayant prêté à la société pollueuse à l'occasion d'un contrat maintenant caduc ! On estime qu'entre 1981 et 1991, pour deux mille sites, ces dispositions ont coûté à l'industrie et à la finance américaines dix milliards de dollars, dont un ou deux tiers ont été consacrés aux frais de procès. Pour la période 1992-1996, cinq autres milliards de dollars sont prévus. A titre de comparaison, les Pays-Bas avaient jusqu'en 1992 dépensé cinq milliards de francs pour réhabiliter mille terrains contaminés. Ainsi, le droit européen, initialement inspiré du droit romain, se trouve aujourd'hui fortement influencé par l'approche anglo-saxonne, sans cependant atteindre les excès américains.

La fin du pouvoir des experts ?

Le développement rapide qu'ont connu ces dernières années les revendications environnementales, sur des thèmes déjà apparus dans le passé mais jamais repris avec cette ampleur, doit sans doute être analysé comme révélateur d'un malaise social, impliquant une appréhension certaine de l'avenir et une exigence de redistribution des rôles dans les prises de décisions politico-économiques en direction des classes moyennes. L'environnement, après le droit du travail, fournirait-il l'occasion d'une nouvelle conception de la concertation ?

Les études et observations évoquées montrent que le décideur institutionnel classique n'a plus un discours crédible sur l'environnement, en partie par absence de contre-discours institutionnalisé. La justice ne prend part au domaine que depuis très peu de temps, et les associations de protection de l'environnement souffrent d'une pénurie dramatique de moyens. La faiblesse des interlocuteurs explique les insuffisances persistantes du débat public. L'impact des projets sur l'environnement est trop souvent étudié de façon sommaire. Peu de connaissances techniques et scientifiques sont effectivement diffusées avec le souci réel de leur compréhension, et il est difficile pour le public ou ses relais d'opinion de trouver et de financer des contre-expertises. Les dossiers présentés restent trop techniques pour les citoyens, et omettent en général de proposer des solutions autres que le projet principal et de discuter son intérêt collectif. De plus, les horaires d'accès aux documents officiels limitent les consultations possibles. Bien sûr, organiser une discussion cohérente sur des projets comme les autoroutes, les voies ferrées, les canaux ou les lignes électriques, dont la réalisation s'étale parfois sur des centaines de kilomètres et une dizaine d'années, n'est pas chose facile.

Ces éléments ne sont pas propres à la France ; une récente étude comparative des politiques d'information du public sur les risques industriels majeurs, mises en place en Europe à la suite de la directive Seveso, montre que, dans la très large majorité des États membres, les données sur les dangers encourus ne sont pas mises à la disposition des riverains (cent quarante campagnes d'information ont été réalisées autour des sites français à risques), principalement parce que les acteurs semblent y craindre la confrontation avec les habitants. Ainsi, mes interlocuteurs européens sont toujours ébahis du fait qu'il existe depuis 1991, sur l'étang de Berre, zone très fortement industrialisée, un centre permanent d'information du public sur les risques industriels et l'environnement (le Cypres), cogéré par l'État, l'industrie et les élus locaux, en collaboration avec les associations et les syndicats...

En ce qui concerne les débats internationaux, par exemple la préparation d'une directive communautaire, les expertises présentées par tel ou tel pays sont parfois suspectes de parti pris au profit des intérêts industriels nationaux : la question se posa sur les CFC et l'ozone stratosphérique, ou sur le pot catalytique* et les pluies acides. Cependant, il n'existe pas de science parfaitement objective au sens où, dans sa constitution, ses choix d'axes prioritaires, son traitement des incertitudes, et donc ses conclusions, elle soit totalement indépendante de la culture des scientifiques, eux-mêmes liés à leur civilisation et à leur époque.

C'est dire si, sans certitudes scientifiques ou, à défaut, sans débat collectif clair ni transparence des enjeux, les acteurs s'exposent soit aux aléas des paniques publiques, soit à ceux des récupérations politiques de toute sorte, soit à des décisions aux conséquences irréversibles — aucun terme n'étant d'ailleurs exclusif des deux autres.

Les scientifiques, eux, ont la faveur des sondages. Il s'agit pour les personnes interrogées de scientifiques « compétents, reconnus et indépendants », que l'opinion publique assimile à quelques figures comme le commandant Cousteau. En admettant la représentativité de ces réponses, apportent-elles une solution à la question posée ? L'opinion est accoutumée du fait des médias aux querelles d'experts sur les incertitudes scientifiques liées aux questions environnementales, particulièrement sur des thèmes planétaires comme les conséquences de l'augmentation du gaz carbonique dans l'atmosphère.

Ajoutons que l'incertitude sur les risques encourus est depuis longtemps invoquée par nombre d'opposants aux actions de protection de l'environnement. Tel fut le cas pour les rejets agricoles et domestiques de nitrates et de phosphates* dans les années 70 et 80 : leur nocivité était considérée comme insuffisamment fondée pour justifier des mesures économiquement non négligeables ; aujourd'hui, un tiers des bassins français continuent de se dégrader, la moitié des lacs et des cours d'eau subissent une dystrophisation* progressive.

Enfin, la complexité reconnue des problèmes interdit leur traitement par une seule personne, fût-elle des plus intelligentes et des plus indépendantes. Voici quelques années, un spécialiste de biologie moléculaire s'apprêtait à autoriser l'introduction en

France d'un baculo-virus destiné à lutter contre un insecte ravageur ; ce n'est que grâce à la curiosité imprévue d'un entomologiste que l'on doit d'avoir échappé à l'élimination des... abeilles, également sensibles à ce virus, ce qu'avait totalement occulté le raisonnement purement moléculaire ! Cette complexité redoutable incite à réhabiliter la recherche transdisciplinaire, mais aussi certains savoirs globalisants, comme l'écologie, la socio-écologie ou l'épidémiologie, que la tradition positiviste, l'absence d'intérêt du secteur industriel et les commodités de gestion ont quasi supprimés ou n'ont jamais admis dans les disciplines institutionnellement reconnues. Par chance pour l'environnement, la situation n'est pas partout identique, comme le montrent la recherche scandinave et américaine sur les écosystèmes, ou encore l'existence, en Allemagne, de véritables instituts de recherche pluridisciplinaire (sinon interdisciplinaire) sur l'environnement.

Il devient donc peu crédible pour un décideur d'invoquer la vérité scientifique ou de s'appuyer sur un expert unique, supposé avoir décrypté et pesé l'état des sciences requises par le problème. Ce dernier sera *a priori* suspecté de compétence partielle ou partiale face à une matière constellée d'incertitudes, et pour laquelle nombre de facteurs connaissent une forte variabilité géographique ; il suffit de penser à l'impact catastrophique sur les sols méditerranéens ou tropicaux, sensibles à l'érosion, de pratiques culturales telles que le labourage mécanisé profond, développé sur les sols épais des pays plus septentrionaux. Dans tous les cas, la mobilisation de savoirs diversifiés est indispensable. De plus, la prise des décisions ne peut attendre la résolution de toutes les questions en suspens, certaines restant à horizon très lointain : faut-il, lorsque l'on soupçonne une substance courante d'être cancérigène, lancer une étude épidémiologique sérieuse (de huit à quinze ans d'observations lourdes) avant d'entamer toute action ou décider de ne pas courir le risque ?

Il se révèle donc impossible, d'une part, d'accepter les incertitudes scientifiques et, d'autre part, de maintenir des procédures dans lesquelles un petit nombre de décideurs prétend réunir toute la connaissance nécessaire aux choix de la collectivité. Qui plus est, on ne peut prévoir d'où viendront les interventions pertinentes, comme celle de notre entomologiste. En cas de doute persistant, toute décision devient une prise de risque collective. La seule issue démocratiquement acceptable se fonde alors sur un partage réel du diagnostic et des enjeux, admettant la plus grande diversité possible d'apports. La question se pose aussi bien pour un aménagement urbain que pour l'installation d'un aéroport, pour la sauvegarde de la Méditerranée que pour la réduction des émissions globales de gaz à effet de serre.

On objectera sans doute que seule la possession de compétences dans le domaine considéré permet d'émettre des avis dignes d'écoute. L'exemple précédent montre que les critiques pertinentes ne sont pas toujours construites sur le modèle de celle du professeur corrigeant une copie dans sa spécialité. Ajoutons que certains pays n'hésitent pas, à l'instar de la justice avec les jurys d'assises, à consulter des non-spécialistes et à suivre leurs points de vue : la municipalité de Cambridge a, en 1976, demandé à un groupe de huit citoyens d'étudier et de rendre un avis sur la construction, dans la commune, d'un laboratoire de génie génétique bactérien. Après deux auditions publiques et neuf mois d'enquête, la décision fut positive, moyennant des précautions techniques concernant la sécurité. Elle fut négative en 1986 à Salinas (Californie), sur le même type de débat.

La mise en place de tels processus collectifs est délicate, ne serait-ce que parce qu'elle impliquerait l'étalement dans le temps de nombreux projets, étalement en rupture avec la durée, bien plus courte, des mandats des décideurs tels qu'élus ou ministres. Elle doit aussi veiller à la constitution d'une connaissance commune au plus grand nombre d'acteurs possible, à partir de laquelle les diagnostics et les discussions pourront s'établir. Elle doit enfin examiner le mode de désignation des « jurés », leur éventuelle rémunération pendant le travail qui leur est demandé dans l'intérêt collectif, les moyens d'établir une contre-expertise... — tous « détails » matériels sans lesquels l'exercice démocratique n'est qu'un mot. Mais avant même de songer à établir ces procédures, une question préliminaire s'impose... Avec quels langages ?

L'environnement, un mode pacifique de réappropriation des identités ?

La séduction des chiffres

Au XVIIIᵉ siècle, Linné justifiait l'intérêt social du naturaliste en indiquant que ce dernier pouvait trouver de nouvelles ressources à exploiter. La très récente découverte d'une microalgue dans l'étang de Thau, *Ostrecoccus tauri,* en fournit une illustration : elle pourrait y favoriser la croissance des huîtres. Depuis que la protection de l'environnement est devenue, malgré la crise, une préoccupation incontestée, la compatibilité de l'écologie avec la croissance économique, dans sa conception traditionnelle, est internationalement débattue.

Certains pays ont explicitement misé sur l'environnement pour développer des secteurs d'activité : épuration des gaz industriels et fabrication de filtres de plus en plus sophistiqués, production de pots d'échappement catalytiques antipollution, de lessives sans phosphates, développement des technologies de recyclage des plastiques, en Allemagne ; renforcement des normes de potabilité et développement des technologies de traitement des eaux, en France ; recherches sur les énergies pauvres en gaz carbonique ou les systèmes de stockage du gaz émis, au Japon ; production du matériel de collecte et traitement des déchets ménagers, recherches sur les substituts aux CFC, aux États-Unis. Les créations d'emplois causées par la réglementation et la sensibilisation environnementales, ainsi que les chiffres d'affaires qui en découlent, font partout l'objet d'enquêtes et d'analyses.

Le bruit, entraînant des problèmes de santé et une dévalorisation du patrimoine immobilier dans les centres-villes, finira par être traité de façon systématique : au-dessus de 50 dB, chaque décibel supplémentaire engendrerait une diminution de 0,4 % à 1 % du prix des immeubles. Si le paysage est un jour réellement pris en compte dans les décisions d'aménagement urbain, agricole ou de transport, ce sera sans doute pour sa valeur touristique ou pour le caractère attractif qu'il confère à certains produits « de terroir ». Si la protection de l'environnement est une préoccupation des acteurs économiques américains, les multiples procès en responsabilité et les énormes dépenses auxquelles ceux-ci peuvent conduire y sont pour beaucoup. C'est à cause des dédommagements très importants qu'elles induisent parfois que les pollutions accidentelles ne figurent plus depuis 1991 parmi les événements assurables. Enfin, la gestion de l'environnement passera de plus en plus par l'incorporation, dans le prix des biens et services, des dépenses que leur usage implique pour la collectivité, car les choix des consommateurs dépendent fortement du coût immédiat apparent des produits.

L'affichage de ce coût collectif peut revêtir la
forme de taxes, telles que celle qui est appliquée aux
produits pétroliers ou la future taxe sur l'énergie et le
gaz carbonique. Il peut aussi se traduire par des
échanges de « droits à polluer », aussi appelés « permis
négociables » : cette technique d'origine américaine
permet aux entreprises qui émettent un polluant de
choisir, dans la limite d'une quantité totale de rejets
autorisée pour une zone géographique donnée, entre
investir pour diminuer leurs émissions ou racheter les
quotas d'une entreprise de la même zone ayant déjà
réduit sa pollution. Elle se pratique aux États-Unis
pour les entreprises rejetant de l'oxyde de soufre dans
l'air. Tous les ressorts des marchés boursiers peuvent
être utilisés dans ces échanges, qui confèrent donc
une valeur économique précise à la tonne de polluant
émise. La protection de l'environnement figure ainsi
directement dans le bilan économique des sociétés et
collectivités.

Pour le moment en fait, les entreprises détentrices
de quotas d'autorisation préfèrent les geler plutôt que
les échanger pour éviter qu'une concurrence se développe, quand elles ne détournent pas l'esprit du principe en délocalisant les émissions polluantes en
dehors des limites de la zone réglementée...

La traduction des biens et dommages environnementaux dans le langage monétaire a en théorie
l'avantage d'exprimer ceux-ci dans le langage commun aujourd'hui dominant, celui de l'économie. Elle

rend le domaine plus maniable pour des décideurs, habitués davantage aux comptes de résultats qu'aux écosystèmes. Elle offre même à l'écologie un surcroît de sérieux : le poids des chiffres n'est pas forcément lié à leur signification monétaire. Pour des héritiers d'une culture dans laquelle la pensée technique est prépondérante depuis le XVIIe siècle, la séduction du chiffrage est manifeste, par exemple à travers l'intérêt récemment porté par les industriels aux inventaires des écobilans, qui calculent les flux de matière et d'énergie engendrés par la fabrication, l'utilisation et l'élimination d'un produit donné. Cet outil a une indéniable utilité concrète, et apporte beaucoup aux négociations entre acteurs. En outre, le chiffrage qu'il produit, en mettant de côté les aspects de l'environnement réputés « irrationnels », c'est-à-dire qualitatifs et variables, confère au domaine de l'écologie un statut supérieur dans l'esprit des responsables.

Apparemment, les chiffres seraient donc de nature à fournir aux concertations le langage commun nécessaire à un débat clair : « Le bénéfice tiré de cette décision vaut-il son coût environnemental ? Cette mesure de protection apporte-t-elle à la collectivité un avantage qui en justifie la dépense ? » C'est oublier qu'un calcul s'appuie sur des hypothèses, des données initiales, des choix de scénarios, et suppose des conventions (imputations, règles déterminant ce qui est négligeable, traitement des incertitudes) ; c'est à ce stade que resurgissent les postulats et habitudes socio-culturelles, sans compter les biais éventuels. C'est pourquoi, en France, la toute première normalisation des écobilans porte non sur des conventions de calcul, mais sur des exigences déontologiques, comme la transparence obligatoire des hypothèses de départ. Même en économie pure, un projet comme le canal Rhin-Rhône fait depuis vingt ans l'objet de multiples expertises contradictoires quant à sa rentabilité... « Suivant les hypothèses également défendables que je prendrais, je pourrais vous justifier que cette technique est rentable, ou qu'elle ne le sera jamais ; donc je ne dis rien », fut la phrase révélatrice d'un expert concernant une technologie nouvelle.

Les arcanes socioculturels des calculs économiques

L'accord sur un chiffre passe donc par un consensus quant aux hypothèses sur lesquelles il s'appuie. Ainsi, les investissements consentis par une collectivité pour éviter un risque sont choisis pour être les plus proches du prix que celle-ci attache à éviter ce risque. Prenons le cas de la mort accidentelle d'un individu. Cette notion implicite du «prix de la mort», pour rebutante qu'elle soit, est couramment utilisée. Or, ce prix varie fortement ; il est, pour un décès survenant dans un accident de la route, de 12 500 écus au Portugal, de 85 000 aux Pays-Bas, de 255 000 en France, de 630 000 en Allemagne et de 1,6 million en Suisse et en Finlande.

De plus, le poids social du décès semble varier selon les causes de la mort : on observe qu'en France les dix-huit mille tués annuels par accident domestique sont socialement mieux admis que les neuf mille morts sur la route, estimés chacun par les assurances à 1,8 million de francs en 1986. Par rapport aux investissements de sécurité consentis pour les éviter, ces derniers semblent implicitement considérés comme plus supportables que les cent décès annuels dus aux accidents industriels (entre 6 et 100 millions de francs par mort évitée en 1990), surtout s'il s'agit d'accidents pouvant entraîner la mort de plusieurs personnes dans le voisinage (de 20 à 2 000 millions de francs par décès évité en 1983). D'après certaines études, un décès survenu dans une usine serait dans la psychologie collective vingt fois plus lourd qu'une mort se produisant sur la route ; par ailleurs, un seul accident occasionnant plusieurs morts serait seize fois plus prégnant pour la collectivité que plusieurs accidents causant chacun un mort.

Or, les tribunaux et les assurances existent depuis de nombreuses décennies, les estimations des dommages subis par les individus, blessures et décès, également, ce qui n'est pas le cas de l'évaluation des biens environnementaux. Plusieurs méthodes se sont développées pour tenter d'approcher la valeur qu'une collectivité accorde, par exemple, à la propreté d'une rivière ou à l'existence d'un parc naturel. Celle-ci peut être exprimée, et donc évaluée, de diverses manières.

On peut d'abord considérer le coût de l'investissement nécessaire pour supprimer l'effet indésirable : ce sera, par exemple, le coût de l'épuration permettant d'amener la rivière à la qualité voulue.

Il peut aussi s'agir du coût de réparation ou de compensation des dommages causés. Le(s) responsable(s) de la pollution de cette rivière dédommageront pêcheurs et riverains, et assureront le réempoissonnement. Pour l'exposition au bruit, les soins médicaux rendus nécessaires seront estimés.

On peut aussi estimer la valeur ajoutée ou retirée à un bien du fait de l'objet à évaluer : la proximité de la rivière ou d'un parc naturel peuvent ajouter de la valeur au foncier constructible voisin ; un aménagement laid ou une pollution peuvent diminuer l'attractivité touristique d'un secteur ; la pollution par l'ozone due à la circulation automobile dans les grandes villes diviserait par deux ou trois le poids des épis de blé cultivés alentour si les teneurs dans l'air passaient de 27 à 88 microgrammes par mètre cube ($\mu g/m^3$). Citons enfin la déclaration de principe du gouvernement de l'Ontario sur les zones humides, bon exemple de cette approche : « Les terres marécageuses sont importantes pour l'économie ontarienne. Elles maintiennent et améliorent la qualité de l'eau, aident à contrôler les inondations, offrent un habitat à la faune et au paysan ainsi que des avantages économiques et sociaux considérables, notamment les activités de loisirs en plein air et celles reliées au tourisme. »

La dernière méthode consiste à additionner les sommes que les individus d'une population se déclarent chacun prêts à dépenser pour conserver un paysage, s'il s'agit des riverains du parc naturel, ou le coût des déplacements qu'ils se déclarent prêts à faire pour visiter ce parc ou se rendre au bord de la rivière.

Ces exemples montrent que, même lorsque les dimensions d'une question environnementale sont relativement bien cernées (propreté ou pollution d'une rivière), les coûts à prendre en compte diffèrent beaucoup selon les méthodes et les représentations socioculturelles attachées à l'objet environnemental concerné. Ainsi, une décision acceptée localement peut ne pas être reconnue ailleurs, soit que le contexte, par exemple géographique ou pédologique, diffère, soit que la valeur culturelle attachée au maintien d'un environnement donné dépasse le bénéfice éventuellement apporté par la modification proposée. Ce problème se pose de façon particulièrement épineuse dans le cas des réalisations sur de longues distances, comme les lignes d'Électricité de France (EDF) ou les infrastructures de transport. Il s'ensuit souvent que les effets qui ne peuvent pas être traduits en langage monétaire — encore ? — ne sont pas pris en considération. Même lorsque la discussion ne porte que sur des notions habituelles (coûts des travaux, marchés potentiels, gains de productivité, emplois générés...), nombre de débats paraissent *a priori* indécidables lorsque l'on confronte les estimations, de plus en plus argumentées, des différents intervenants.

Cette observation rappelle que les individus passent souvent beaucoup plus de temps à discuter entre eux le bien-fondé des petites dépenses que celui des grosses. Elle laisse supposer que, dans ce cas, si les débats portent sur les chiffres, les décisions les ignorent. C'est aussi ce que suggère l'économiste Guillaume Sainteny à propos du drainage des zones humides : « Les arguments extra-économiques (poids des corps d'ingénieurs à la fois conseils techniques, preneurs de décisions et intéressés financièrement à ces travaux, tradition des grands travaux prestigieux en France, centralisation et puissance d'impulsion des politiques de l'État...) semblent peser d'un tel poids dans les processus de prise de décision en la matière que l'évaluation économique prévisionnelle, parfois biaisée d'ailleurs, de ces projets y joue, pour sa part, contrairement à certains pays étrangers, un rôle relativement faible, de même que les arguments d'ordre écologique. » Plus loin, il cite le rapport de 1969 de la Cour des comptes, qui déjà montrait que des travaux d'endiguement importants avaient été décidés sans étude de rentabilité « malgré des subventions allant de 55 à 70 % ». Le rapport de 1990 dénonçait de nouveau cette carence au sujet du programme autoroutier français, « géré et se développ[ant] en dehors de toute logique économique, financière et comptable ».

Là non plus, il ne s'agit pas d'une spécificité française : le ministre allemand des Transports déclarait en 1983, avant la reprise des travaux du canal Rhin-Main-Danube, ouvert en 1992, que le projet poserait d'inacceptables problèmes d'assèchement des nappes phréatiques. Ces problèmes, dont au moins les facettes concernant l'impact sur l'approvisionnement en eau potable et en eau d'irrigation pouvaient aisément se traduire en langage économique, semblaient n'avoir guère été économiquement évalués. Comment se construisent donc les décisions ?

Les raisons culturelles et institutionnelles des décisions techniques

On a vu que la définition d'un produit plus respectueux de l'environnement peut varier d'un pays à l'autre, suivant l'importance que celui-ci attache à telle ou telle pollution ou nuisance. Dans le domaine des politiques française, anglaise et allemande de qualité de l'eau, une étude constate que, jusqu'à la fin des années 60, ces questions restent, dans les trois pays, traitées de façon locale et exclusivement technique, entre professionnels. Rencontrant des difficultés budgétaires vers 1968, la Grande-Bretagne, pays où la tradition valorise davantage la finance (culture de l'administration centrale) que la science et la technique (personnels des administrations locales), réduit ses dépenses, et privatise en 1989. Parallèlement, l'État n'édicte pas de normes de qualité rigides. Il faut attendre les années 80 pour qu'un service public de contrôle de la qualité et de l'acquisition des terrains sensibles apparaisse : le *National Rivers Authority*. Dès 1930, le contrôle des établissements polluants est confié aux collectivités locales, qui ont reçu pour ce faire une dotation. Les litiges sont réglés par recherche de compromis devant les tribunaux, en accord avec la tradition anglo-saxonne. L'expertise technique, dont le principe est de définir les règles puis de contribuer à régler les litiges en jugeant de leur respect, est donc peu sollicitée. Néanmoins la loi sur l'eau (*Water Bills*) de 1989 contient quand même — concession à l'Europe ? — des normes de qualité minimales obligatoires.

La RFA, elle, place culturellement la science et la technique au-dessus de la finance : dès 1901, puis en 1957, l'État promulgue une loi-cadre fédérale prévoyant l'édiction et le contrôle par les Länder de normes de qualité de l'eau s'appuyant sur des résultats de la recherche. La tradition de débat scientifique autorise l'apparition d'une contestation sous la forme d'un « conseil d'experts pour les problèmes d'environnement » créé en 1971, de normes concernant les nitrates imposées dès 1976 par la toute nouvelle Agence fédérale pour la santé, puis la création de l'Agence fédérale de l'environnement, en 1974, et du ministère fédéral de l'Environnement, en 1986. Le système de normes est très codifié, et cumule les niveaux local, régional et central. Dans ce contexte, l'expertise se développe beaucoup. La multiplicité des niveaux de compétence laisse une large place institutionnalisée au débat.

La France a une tradition culturelle proche de celle de l'Allemagne, mais une forte centralisation institutionnelle. Ainsi, en application de la loi de 1902 sur la salubrité publique, une circulaire de 1950 du Conseil supérieur d'hygiène de France édicte les premières normes de rejet pour les stations d'épuration urbaines. La loi de 1964 crée un Comité national de l'eau et prévoit la création des futures agences de l'eau. Les normes seront revues par instructions et circulaires ministérielles successives, traduites par arrêtés préfectoraux locaux, jusqu'à l'édiction de l'arrêté ministériel global de 1993, reprenant et actualisant tous les seuils de rejets admissibles, en conformité avec la réglementation européenne. Dans ce contexte de codification centralisée, le débat institutionnel sur les normes de rejets est moins favorisé, les normes de qualité de l'eau et de l'air n'étant apparues qu'avec les

La Sèvre niortaise.
*L'aménagement des canaux
reflète la culture d'un pays.
En Europe, cela va des « tuyaux »
aux rives bétonnées,
plutôt britanniques,*

*aux cours d'eau régularisés
alliant souci du paysage,
des écosystèmes et des promeneurs,
comme en Bavière.
La France oscille entre les deux...*
Ph. © Ch. Errath / Jerrican.

textes européens. Le recours à l'expertise se fait jusqu'à présent surtout à l'initiative du pouvoir central ou de ses interlocuteurs économiques, les entreprises.

Le sociologue Laurent Mermet décrit de façon frappante un autre domaine, d'apparence pourtant «purement technique», qui est le lieu de divergences culturelles : les conceptions de l'aménagement des cours d'eau. «L'image du bon aménagement des ingénieurs anglais — un recalibrage adapté à des écoulements de crue impressionnants — correspondait pour les ingénieurs allemands à ce qu'ils surnomment la période " hitlérienne" de l'aménagement de rivières.

Pour les ingénieurs français, à l'inverse, le traitement minutieux des aspects environnementaux dans les aménagements bavarois actuels [...] donnaient l'image d'une sorte de luxe environnemental. D'ailleurs, on a vu [...] des photos aériennes de rivières bavaroises sur lesquelles on pouvait clairement reconnaître les segments aménagés " à l'anglaise " dans les années 30, ceux traités " à la française " dans les années 50 et 60, et ceux traités "à la bavaroise" dans les dix dernières années — images frappantes de la façon dont l'évolution d'une culture technique peut se traduire directement dans l'état de la nature.»

Enfin, les politiques énergétiques développées par différents pays pour répondre aux chocs pétroliers illustrent bien notre propos : la France, l'Allemagne, le Japon et l'Italie ont adopté des stratégies qui correspondaient, non à une optimisation économique répondant à des règles universelles, mais à leurs institutions et à leur culture.

La France favorise le développement d'une offre nationale, le nucléaire, et engage une politique de maîtrise de la demande. L'Allemagne, dotée d'une ressource propre, le charbon, joue presque exclusivement sur la compensation du surcoût de l'importation par un gonflement des excédents commerciaux dans d'autres secteurs. L'Italie et le Japon adoptent des politiques intermédiaires : la première reste plus proche de l'Allemagne, ayant même totalement renoncé au nucléaire dans les années 80 ; le second s'apparente plus à la France par son volontarisme central.

L'économiste Jean-Charles Hourcade souligne dans une étude que « le parc [nucléaire] français représente trois fois le parc allemand, et plus de cinq fois le parc japonais », par rapport à leur produit national brut (PNB). La France reste la plus grosse importatrice d'énergie des quatre, par rapport à son PNB. Par ailleurs, la consommation énergétique finale (rapportée au PIB) est plus importante en Allemagne et en France qu'en Italie et au Japon. Tous les résultats ne sont donc pas proportionnels à l'investissement énergétique. En fait, les décisions initiales ont été prises en fonction des caractéristiques culturelles et institutionnelles des quatre pays.

La France, avec ses mines de charbon déclinantes, n'avait pas de ressources énergétiques propres. De profondes relations unissaient l'État et le monde industriel, et le nucléaire y était scientifiquement bien connu. Le mouvement antinucléaire y fut marqué jusque dans les années 80, mais l'État n'avait pas pu établir de politique consensuelle avec l'industrie sur les redéploiements stratégiques (absence d'accord entre État, banques, syndicats et industriels). Il faut ajouter à cela une forte tradition centralisatrice et la volonté gaulliste d'autonomie.

Le Japon aussi manquait d'énergies nationales et abritait de puissantes relations entre l'État, très centralisé, et le monde industriel. Cependant, il n'avait pas d'attachement scientifique particulier au nucléaire. La contestation était faible, mais, dès 1971, le ministère de l'Industrie et du Commerce extérieur avait prévu des réorientations consensuelles de l'industrie. Aussi les investissements nationaux ont-ils porté à la fois sur la production d'énergie et sur la compétitivité industrielle.

Nantie d'une très bonne connaissance scientifique du domaine nucléaire, l'Italie ne possédait ni ressources énergétiques propres ni relations étroites entre l'État et le monde industriel. L'État ne pouvant imposer de directions aux acteurs, la force du mouvement d'opposition au nucléaire a conduit à l'abandon de tout programme. Les efforts ont donc consisté à compenser sur le plan commercial les dépenses énergétiques accrues.

Quant à l'Allemagne, elle disposait d'une ressource nationale propre : le charbon. La contestation contre le nucléaire y fut vive — autant qu'en France — dans les années 70. Les fortes relations qui existaient entre l'État, les banques et les entreprises, et la tradition de négociations syndicales ont permis aux acteurs de trouver un accord pour favoriser la restructuration industrielle, et de constituer ensuite un fort excédent commercial pour payer la facture pétrolière.

Paysage : l'imbrication de la culture et de l'environnement s'accentue

Les bilans environnementaux de la France et de la Méditerranée soulignent la « médiocrisation » constante des paysages ; elle contribue au sentiment général de dégradation environnementale exprimé par les sondages. Or, la définition de priorités est plus floue dans ce domaine que, par exemple, dans celui des normes de rejets : quelle composition et quelle évolution des paysages peut-on considérer comme acceptables, et par qui ?

La forte composante esthétique, donc «subjective», du jugement ne doit pas faire oublier qu'un paysage est d'abord la traduction de relations écosystémiques entre les êtres vivants, flore, faune, et les êtres humains, et leurs conditions de vie physico-chimiques : hydrologie, sols, géographie, climat. Une modification de «paysage» a bien d'autres conséquences qu'un simple changement de décor. Ainsi, un remembrement qui détruit les haies fait aussi disparaître les oiseaux prédateurs d'insectes, et peut introduire dans le climat local des gelées inconnues jusqu'alors. Le percement d'une forêt par une route y modifie l'écoulement des eaux, entraînant la disparition de pans de bois entiers. Lorsqu'on draine des zones humides pour planter par exemple du maïs, les nappes phréatiques sont perturbées, et avec elles toute la végétation et les cours d'eau qui en dépendent...

Les bénéfices et les pertes ne concernent pas les mêmes catégories d'individus, il faut donc trouver entre celles-ci le compromis le plus «durable» possible, surtout en domaine rural : il faudra en effet beaucoup de temps pour corriger les bouleversements effectués si des erreurs sont commises. Les connaissances scientifiques, et plus particulièrement celles qui appartiennent aux disciplines des sciences naturelles et de la socio-économie, sont indispensables pour traiter ces problèmes.

Il faut se rappeler que le terme «paysage» (*landschap*) est apparu en Hollande au XVe siècle, pour dési-

gner les premières peintures flamandes exclusivement
consacrées à la représentation de la campagne, lieu de
repos du citadin. Il s'agissait d'une étape de l'évolution
qui avait mené de la négation de la nature dans l'art
byzantin, où les personnages se tenaient en lévitation
sur un fond d'or, au symbolisme de la peinture
italienne du XIIᵉ siècle, puis à la représentation d'un
décor lointain par l'ouverture d'une fenêtre. En
Europe, la Suisse protestante exceptée, jusqu'au
XVIIIᵉ siècle, la montagne et la mer évoquèrent trop la
peur et le désordre pour être peintes. En revanche,
depuis le Iᵉʳ siècle de notre ère, les Japonais associaient
les montagnes à la spiritualité, et les représentaient fré-
quemment. Les «beaux jardins» — reconstitution d'un
«paysage» avant l'apparition du terme — prirent des
sens et des formes totalement divergentes pour les
Japonais, les Anglais ou les Français. En France, les
marais ont longtemps été identifiés aux elfes, aux
maladies, aux déserts, à des «non-espaces» ; c'est ce
statut culturel qui détourna d'eux les intérêts des chercheurs scientifiques. L'emprise de la représentation
subjective était telle que, jusque très récemment, les
études économiques ne paraissaient pas utiles aux
maîtres d'ouvrage pour justifier leur destruction. Ce
n'était pas le cas, on l'a vu, en Amérique du Nord
(Ontario).

Déjà au XVIIIᵉ siècle, le naturaliste voyageur
Alexander von Humboldt avait souligné la forte relation qui unit la science (les fonctions naturelles du paysage) à l'art (la beauté du paysage). Dans le domaine
urbain, aujourd'hui, l'Académie suisse des sciences

techniques conclut ainsi son rapport sur la mobilité soutenable : « Si l'on veut des villes plus propres, plus sûres, moins chères, plus agréables et plus humaines, la première priorité des technologies est de préserver les valeurs humaines de communauté et d'intégrité écologique. Cela requiert pour les ingénieurs une formation globale qui leur fasse comprendre la valeur de la beauté. » Les graves difficultés actuelles de certains quartiers prennent aussi racine dans l'anonymat de la laideur prétendument fonctionnelle, née de la juxtaposition de bâtiments, de rues, de monuments et d'espaces sans qu'il existe entre eux de cohérence. Et s'il en était de même des paysages ruraux ?

Compréhension des phénomènes, déconstruction de l'environnement

Généralement, les interventions effectuées sur les espaces s'apparentent aux tranchées successivement pratiquées dans les trottoirs des villes pour y installer les tuyauteries d'eau ou de gaz, et les câbles téléphoniques : l'une après l'autre, sans coordination ni souci esthétique du résultat final, mais avec la seule préoccupation de mener à bien, pas toujours en relation avec le contexte, une réalisation univoque. La culture technicienne favorise les approches sectorielles séparées, mais l'individu, lui, perçoit le résultat global, un espace «dépecé et compartimenté» : le remembrement autoritaire qui coupe ou fait disparaître les chemins anciens au profit de voies indifférentes à la topographie et aux usages locaux ; les immeubles plantés sans relation entre eux devant la rocade qui les sépare du reste de la ville. Le résultat est analogue à l'étape intermédiaire d'un traitement psychanalytique : un référentiel spatial déconstruit.

Effectivement, depuis le XVIIᵉ siècle, l'homme occidental mécaniste a choisi de disséquer le réel pour mieux agir sur lui, tirant de chaque analyse sectorielle des lois générales, dont la conjugaison n'intéresse aucun des acteurs spécialisés, mais représente le seul vécu du citoyen. L'organisation des institutions, calquée sur cette approche, juxtapose des compétences techniques spécifiques. La même attitude a prévalu dès le XVIᵉ siècle, dans le développement de la médecine, et s'est accentuée lorsque Descartes eut philosophiquement séparé le corps de l'âme. Comme le décrit le sociologue David Le Breton, « [la maladie] n'est pas perçue comme l'héritage individuel d'un homme situé et daté, mais comme la faille anonyme d'une fonction ou d'un organe. [...] Cette vision de la maladie ne peut que conduire le malade à se déposer passivement entre les mains du médecin. [...] Le malaise actuel de la médecine, plus encore celui de la psychiatrie, et l'afflux des malades chez les guérisseurs et les praticiens des médecines parallèles attestent bien de l'ampleur du fossé qui s'est creusé entre le malade et le médecin ». L'effet placebo ou son contraire, la somatisation, sont les dénominations technicistes de ce que l'auteur appelle la « porosité du corps à l'action du symbole ».

De même, à partir de Newton, le paysage, envisagé comme une entité imbriquant de multiples sollicitations mêlant le physique au symbolique, n'est plus admissible comme objet de science. Le géographe Augustin Berque décrit ainsi le phénomène : « Corrélativement, le paysage et le sentiment de la nature vont de plus en plus se poser en antithèse de ce mouvement profond de la modernité. Une telle opposition eût été inconcevable en Chine, où au contraire la cosmologie et le paysage n'ont cessé de se confirmer réciproquement. [...] Or, cette déchirure fondatrice [est] devenue insupportable [...] parce que [cette] alternative moderne [...] engage [l'univers occidental] dans une série de dissociations et de contradictions qui tendent à le vider de son sens. »

Quelles peuvent être pour les hommes qui l'habitent les conséquences d'un environnement éclaté ? Le neurologue Oliver Sachs rapporte en 1985 l'anecdote d'un professeur qui, un jour, se mit à ne plus reconnaître ses étudiants, puis tous les objets non géométriques. « J'avais acheté une rose rouge. Je la lui tendis. Environ quinze centimètres de long, commenta-t-il. Une forme rouge enroulée avec une attache linéaire verte. — Oui, et que pensez-vous que ce soit ? — Pas facile à dire. » Le personnage est atteint d'une maladie appelée « syndrome de Korsakov », ou encore maladie du lobe frontal. Oliver Sachs diagnostique le cas en ces termes : « Le malade a une attitude abstraite, mais rien de plus. Et c'est précisément son absurde propension à l'abstraction, absurde parce que stérile, qui le rend incapable de percevoir une identité ou une particularité, incapable de jugement. [...] De la même façon, si nous supprimons des sciences cognitives tout ce qui est de l'ordre du personnel, nous les réduisons à

Rio de Janeiro.
Dans les bidonvilles s'entassent, à la périphérie d'un centre-ville riche, les victimes de l'exode rural. Après avoir perdu ses références culturelles d'origine, la deuxième *génération de ces migrants ne trouve pas, dans cet univers à l'abandon, d'autres repères sociaux que la loi de la jungle.*
Ph. © M. Edwards / Still Pictures / Bios.

quelque chose d'aussi anormal que [ce] cas, et nous réduisons par là même notre appréhension du concret et du réel.»

Le malade a perdu la faculté de saisir le sens de ce qu'il perçoit. Lorsque c'est le décor lui-même qui perd sa signification pour ceux qui le vivent, comme c'est le cas pour les victimes des exodes ruraux massifs vers les bidonvilles du Caire, de Rio de Janeiro ou de Mexico, le déséquilibre s'installe. On obtient ce que le prospectiviste Thierry Gaudin appelle les «sauvages urbains» : «La perte du contact avec la campagne environnante et l'anéantissement du savoir-faire ancestral laissent les populations nées dans les banlieues sans réelle identité, sans revenu stable, mais aussi sans statut professionnel. [...] En réponse à cette désintégration sociale ou à sa menace se dessine une montée des intégrismes. » Deux milliards de personnes auront entre 1900 et 2100 subi cette acculturation. Les rébellions dites «des banlieues» ne sont pas sans relation avec l'impossible appropriation par leurs habitants d'espaces désarticulés anonymes. Et si des perturbations brutales de l'environnement, outre leurs effets écologiques, créaient parfois de telles dissonances culturelles qu'elles se traduisaient finalement en somatisations* socialement et économiquement douloureuses ? A suivre...

L'approche sectorielle a cherché à optimiser ses moyens d'action, s'interdisant les visions globales, d'abord par principe, puis par incapacité à les imaginer : l'échec, jusqu'à présent, des discours sur l'interaction entre disciplines est l'illustration de cette carence acquise. On ne peut donc demander à cette approche philosophique de créer la cohérence qu'elle recherche aujourd'hui vainement dans le domaine social, ni de savoir gérer les conflits dont elle nie la légitimité des sources.

L'équilibre écologique,
ou le partage des savoirs

La salutaire nécessité des conflits

Chacun souhaite que l'utilisation de ce bien commun qu'est la nature, même artificialisée, soit la plus adaptée possible à ses intérêts et ses valeurs. Laurent Mermet distingue ainsi l'utilité globale de la nature et les utilités spécifiques des divers espaces dont elle est composée : « La nature offre ses opportunités et impose ses contraintes à toutes les activités humaines. Par contre, la nature comme collection d'espaces naturels concerne seulement les acteurs sociaux dont l'activité, l'éthique ou l'esthétique dotent certains espaces ou certaines espèces d'une valeur intrinsèque. »

Une situation bien connue est celle de la rivière, que les pêcheurs souhaitent propre et paisible mais dépourvue d'oiseaux et de mammifères prédateurs ; que les rafteurs préfèrent ouverte à leurs courses, souvent nuisibles aux frayères⋆ ; que les promeneurs désirent voir bordée de chemins ou de pistes cyclables ; que certains voudraient aménager en retenue d'eau touristique comportant un barrage... Dans

La station de ski de Gourette, dans les Pyrénées-Atlantiques.
En 1937, la vallée de Gourette fut protégée au titre de la loi de 1930 sur les sites et monuments naturels. La construction, à cet endroit, d'une station de ski confronte deux utilisations de la nature par l'homme : la première, gratuite et plutôt locale ; la seconde, payante et plutôt citadine. Le Paris-Dakar est un exemple extrême de l'appropriation de la nature d'autrui.
Ph. © G. Lopez / Bios.

le domaine de la gestion des déchets, suivant l'importance que les acteurs accordent au fonctionnement des entreprises, au succès politique local, au discours national ou à la négociation communautaire, leurs décisions, fonctionnant toujours de façon logique à l'intérieur de leurs cadres, diffèrent totalement. L'existence de ces divergences profondes est attestée *a contrario*, remarque le juriste Pierre Lascoumes, par la forte légitimité qu'ont acquise dans les années 80 les ingénieurs des Mines dans le domaine de l'environnement industriel, justement dans la mesure où ils peuvent associer connaissances techniques et capacité à fournir des médiations. Arriver à un compromis demande une volonté de compréhension réciproque, et des concessions mutuelles d'ordre privé pour obtenir un bénéfice public. L'urbaniste Christian Garnier souligne que « l'accent mis sur l'environnement exigera de fréquents renoncements de la part des privilégiés du droit de propriété ou d'usage ».

Plus généralement, la représentation que se font les acteurs de l'environnement dessine la logique de leur action plus que n'importe quel calcul d'opportunité. Si le projet de construire un terrain de golf le long d'un sentier de randonnée déclenche de virulents affrontements, c'est certes parce que l'entretien d'un terrain de golf (arrosage abondant, utilisation d'herbicides et d'engrais) a un impact sur l'environnement et que sa présence change le paysage, mais c'est peut-être surtout parce que, comme le souligne Augustin Berque, ce projet confronte deux modes de vie : « L'un s'enracine dans le champ des institutions et des pratiques de pouvoir, [il] est porté par des acteurs qui interviennent ponctuellement sur le territoire, le plus souvent au nom d'une rationalité technique. L'autre s'enracine dans le champ des identités collectives ; elles sont portées par des acteurs qui interviennent rituellement sur le territoire. [...] Ainsi, l'aménagement du territoire au nom de l'organisation des échanges économiques contribue au développement d'identités locales promotrices de morale antitechnique. »

Une intrusion non négociée sera ressentie par ceux qui la subissent comme une négation de leurs droits et de leur identité, même si, dans le meilleur des cas, celle-ci peut se justifier par le recours à un corpus de connaissances communes. Le philosophe Jean-Louis Fabiani remarque « l'absence de consensus social autour des résultats de l'écologie scientifique : la généralisation de la référence à un savoir constitué ne conduit pas à l'accord concernant les représentations et les usages de la nature ; le terrain de l'affrontement se trouve seulement déplacé. » Or, c'est grâce aux confrontations des savoirs que progressent la connaissance commune et son degré de pertinence, à condition de pouvoir organiser l'expression des divers points de vue et instaurer un mode clair et consensuel de concertation.

Entre sciences totalitaires et cultures insoutenables...

La plupart des problèmes environnementaux trouvent effectivement leur solution dans le développement du savoir — et pas forcément de la technique, qui est l'application possible de certains savoirs. Mais l'universalité rationnelle ainsi espérée est illusoire, et ne peut à elle seule assurer la mise en commun et en pratique des connaissances acquises par les uns et les autres. En général, les acteurs en présence n'ont pas appris le langage de leurs interlocuteurs et ne reconnaissent pas la légitimité de leurs représentations : c'est ce que certains ont appelé la nécessité du «zéro mépris».

Ainsi, ce qui est exprimé dans les revendications environnementales n'est pas, comme beaucoup l'ont répété, le refus de la science, mais celui d'une récupération technocratique toujours possible. Jean-Louis Fabiani l'exprime en ces termes : «La scientifisation du débat idéologique sur la nature a pour effet de constituer comme une nécessité politique la gestion savante des ressources naturelles. [...] Il se constitue une sorte de mixte confus entre les lois écologiques et les normes bureaucratiques. Enfin on constate la capacité inégale des agents à mobiliser des ressources scientifiques : la référence à la gestion rationnelle des ressources est aussi un instrument de domination sociale.»

L'économiste Olivier Godard dénonce une autre attitude également susceptible de vouloir masquer les conflits en les intégrant à l'une des disciplines dominantes actuelles : l'économie. «La mise en avant *a priori* de cette idée d'harmonie (entre le développement économique et la protection de l'environnement) permet d'éviter une réflexion sur les contradictions possibles entre les deux objectifs et sur l'ampleur des changements à apporter dans les conceptions technologiques, économiques et institutionnelles pour les surmonter.» En effet, le chiffrage systématique légitime une gestion technocratique de la Terre, perçue comme un système physique un peu délicat.

On ne peut s'empêcher de penser, à cette lecture, aux diverses motivations possibles et parfaitement incompatibles de l'adhésion générale aux termes de «développement durable». Mais ce qui frappe surtout, c'est la résonance de ces arguments avec la pensée d'Adorno et de Horkheimer, du milieu du siècle, sur le totalitarisme de la raison : « Même la forme déductive de la science reflète la hiérarchie et la contrainte. [...] Comme moyen de renforcer le pouvoir de la langue, les idées devinrent de plus en plus inutiles à mesure que ce pouvoir augmentait, et la langue scientifique a préparé leur disparition. [...] La langue scientifique, dans son impartialité, enlève à tout ce qui est sans pouvoir la possibilité de s'exprimer. [...] Depuis que le monde s'est entièrement industrialisé, les perspectives universelles, la réalisation sociale du penser peuvent s'étendre si loin qu'à cause de ces perspectives mêmes les dirigeants le renient comme simple idéologie. [...] Les dirigeants en eux-mêmes ne croient en aucune nécessité objective. Ils se présentent comme les ingénieurs de l'histoire universelle. Seuls les opprimés admettent comme une nécessité inéluctable l'évolution qui, à chaque augmentation du niveau de vie, accroît d'autant leur impuissance. [...] Finalement, le respect mythique des peuples pour ce qui est donné et qu'ils créent pourtant sans cesse eux-mêmes devient un fait positif, une forteresse à la vue de laquelle même l'imagination révolutionnaire a honte d'elle-même comme d'un utopisme, et dégénère en confiance docile dans les tendances objectives de l'histoire. »

Ces deux philosophes, à la lumière de l'histoire du fascisme, dénoncent le danger d'une raison employée à nier l'identité des individus au nom d'un technicisme universel ; la contestation de cet anonymat risque fort de passer par la négation de ce qui l'a porté : la raison elle-même.

Bien entendu, les rites culturels ne sont pas par essence des manifestations compatibles avec la protection de l'environnement : la Convention sur le commerce international des espèces menacées (*Convention on International Trade of Endangered Species*, CITES) de novembre 1994 nous rappelle opportunément que la fabrication de médecines traditionnelles à partir de cornes de rhinocéros ou de poudre d'hippocampes par 1,2 milliard de Chinois (1,5 milliard en 2025) n'exerce pas la même pression sur la nature que lorsqu'elle était pratiquée par six cents millions d'habitants en 1970, ou quatre cents millions au siècle dernier.

Si nous savons mal traiter le choc des représentations du citadin et du rural, nous savons encore moins gérer les identités au niveau mondial, lorsque la démographie et l'internationalisation économique les confrontent directement. Toutes proportions gardées, le stress qui résulte de cet affrontement rappelle les observations réalisées par l'éthologiste* américain Calhoun en 1947. Les rats qu'il élevait furent placés, non pas dans une situation de surpopulation, mais dans l'obligation de modifier leur comportement sur un point précis : ils devaient s'alimenter simultanément à la même mangeoire, alors que la prise de nourriture se faisait naturellement chez eux en solitaire. S'ensuivirent rapidement nombre d'aberrations comportementales et physiologiques : agressivité ou passivité sexuelle des mâles, disparition des rites de pariade ; abandon de l'entretien des nids et dégradation des soins portés aux petits, cannibalisme, combats fréquents, apparition de tumeurs génitales, hypertrophie des reins, du foie et des glandes surrénales... Par transposition, on peut se demander dans quelle mesure le rythme des changements de mode de vie imposés par la progression technique respecte les délais nécessaires à l'être humain pour s'y adapter biologiquement sans dégâts.

Quelles relations instituer, aux niveaux national et international, entre les groupes de représentations aussi inévitables, différents, variables et légitimes que les cultures, les usages et les identités ?

Des médiations « méro-cratiques »

Dans le monde occidental, c'est la monnaie qui tend à fournir le support de cette médiation : d'une part, elle correspond au langage dominant actuel ; d'autre part, sa simplicité extrême semble permettre une intégration facile des réalités et une compréhension mutuelle dans un système de valeurs commun. Sans dénier à cet outil ses mérites, en particulier celui de faire accéder les éléments de l'environnement susceptibles d'être traduits en langage monétaire au stade de préoccupation légitime pour la pensée dominante, même certains économistes considèrent que la monnaie ne peut constituer qu'une médiation pauvre, et faussement objective. Ainsi, Olivier Godard souligne les limites de « l'économisme de marché, tellement séduisant par son idéologie de l'harmonie spontanée et automatique des intérêts individuels. De ce point de vue, le marché apparaît aux responsables comme un moyen de substituer partiellement une autorité qu'ils ne parviennent plus à assumer.

[...] L'économie de marché, comme sphère autonome, est l'une de ces médiations majeures dont nos sociétés ont accouché [...] qui démultiplient, atténuent et voilent l'autonomie du politique. Toute société a ses conflits, et doit savoir trouver les moyens de les gérer. Le langage économique est-il désormais le seul qui soit opérant ? ».

Il rappelle que les règles actuelles de monétarisation ne prennent pas en compte les caractéristiques du risque environnemental : « Cette situation d'incertitude et de risque d'irréversibilité devrait déboucher sur la prise en compte d'une valeur d'option qui devrait renforcer la valeur des options qui correspondent à une attitude de prudence écologique. » Il illustre enfin le décalage qu'il y a entre les préoccupations sociales en matière d'environnement et la perception qu'en ont, en général, peut-être du fait des outils qu'ils utilisent pour les appréhender, les dirigeants : « L'idéal de transparence publique ne semble pas pouvoir être atteint : l'expérience historique montre qu'il tend à se transformer en son contraire par une dérive bureaucratique et totalitaire. [...] Les études réalisées à l'Ouest, surtout aux États-Unis, montrent que [les] préférences [du public] conduisent à des choix qui vont plus loin dans le sens de la préservation de la qualité de l'environnement que les choix qu'expriment les politiques courantes. »

Il ne s'agit pas pour les pays développés de trouver comment faire adopter leurs valeurs par l'ensemble de la planète : leur mode de vie actuel n'est pas généralisable, car il implique pour chaque individu trop de consommation des ressources du globe, en particulier énergétiques. Or, le résultat des négociations internationales concernant la maîtrise de l'effet de serre prouve qu'il est vain d'espérer convaincre les deux tiers de l'humanité de renoncer au modèle fourni par les pays les plus riches, si ceux-ci le maintiennent. Le manque de langage commun entre les nations et sans doute l'incapacité de l'économie à rendre compte des questions environnementales dans leurs aspects prospectifs et culturels favorisent la prise en charge de ces médiations par des ONG internationales.

Au plan national, l'incapacité à instaurer des référentiels et des procédures collectivement acceptés pourrait aussi déboucher sur une légitimation croissante des formes associatives, plus porteuses de sens qu'un langage officiel exclusivement économiste. Déjà le « communautarisme » s'est imposé dans les discours politiques aux États-Unis et en Grande-Bretagne : il propose d'asseoir un fonctionnement social plus solidaire sur une meilleure organisation et un rôle accru de collectivités diverses, souvent transversales aux structures institutionnelles.

Ainsi, en Angleterre, la recherche systématique de la rentabilité des transports en commun a totalement privé certaines banlieues défavorisées de ce service ; des quartiers ont donc organisé eux-mêmes leur mobilité en rachetant ou en louant de vieux bus, dans des conditions bien sûr précaires. Alors que le chômage est devenu un fléau social dans nombre de pays, l'efficacité locale d'organisations non étatiques pour redonner aux individus un rôle collectif, pourrait là aussi contribuer à renforcer leur image et leur légitimité politique. Il pourrait en être bientôt de même pour certaines concertations menées sur des sujets environnementaux locaux.

Reconnaître la division effective des entités intellectuelles « peuple » et « humanité » en groupes d'intérêts divergents et légitimes apparaît donc comme une condition indispensable à la résolution des problèmes environnementaux, qu'ils soient locaux, régionaux ou planétaires. Il s'agit de passer d'une logique par laquelle l'État dialogue avec un peuple, *dêmos*, à celle par laquelle les diverses parties, *meros*, du corps social échangent leurs arguments.

Comment ? Des propositions existent, appliquées çà et là suivant leur acceptabilité par les cultures nationales. Les auditions publiques sont pratiquées depuis longtemps aux États-Unis et en Grande-Bretagne. Le référendum est couramment utilisé en Suisse ou en Scandinavie. En 1978, le gouvernement hollandais a mis en place et financé, auprès de cinq universités, des organismes, baptisés « Science Shops », chargés d'identifier auprès des groupes syndicaux, écologistes ou autres des demandes de recherche : ce sont en somme des « questionneurs professionnels », un peu protégés des routines de pensée par leur ouverture d'esprit et leur absence d'intérêt direct dans telle ou telle discipline ; les chercheurs peuvent ainsi avoir accès aux demandes sociales. Les jurés de citoyens (*Review Boards*) de Cambridge et de Salinas peuvent aussi fournir des modes de concertation entre les divers groupes sociaux… Nul doute que le traitement des questions d'environnement et de santé publique passe par le développement de ce champ de recherche organisationnelle «méro-cratique».

Épilogue

Contrairement à ce qu'ont pu affirmer certains, le souci de l'environnement ne débouche pas sur un inéluctable totalitarisme négateur de la science ; il porte surtout l'exigence d'une gestion de la diversité des valeurs et des temps, fondée sur la multiplicité des savoirs.

Or, le langage économique, pour simple qu'il soit, intégrateur et universel qu'il paraisse, est un support trop pauvre pour pouvoir transcrire dans ses codes ces savoirs biologiques, écologiques ou socioculturels. Surtout, en tant que langage de la quantification par excellence, il impose un mode de relation reposant sur une certaine hiérarchisation des intervenants qui fausse les dialogues, une certaine indifférence à l'avenir, une incapacité à appréhender les phénomènes aléatoires, irréversibles ou datés.

Tant que l'économie restera l'unique référence des décideurs, il est vital pour l'environnement que le plus possible de ses exigences puissent être ainsi traduites. Mais, tant que le futur restera moins cher que le présent, les hommes seront en danger de suicide collectif. Les horizons tracés par les tendances actuelles sont plus qu'inquiétants. Compte tenu de l'inertie des organisations politiques et économiques, il est urgent de concrétiser l'évolution culturelle baptisée lors du sommet de Rio. Mais comment ?

Comme l'écrit le philosophe Michel Serres, «l'écologie étudie les liens, spatiaux ou temporels, entre des individus discernables, nombreux et variés, petits et brefs, localisés. [...] L'argent ne tolère rien de nouveau sous sa loi inerte, uniforme et homogène, oui, universelle, alors que tout se renouvelle par les règnes locaux du vivant. Ce modèle en mosaïque réunit toutes les questions contemporaines sur l'équilibre, toujours conjugué au pluriel, ainsi que les conceptions diverses, chaotiques notamment, que nous pouvons former sur l'espace, l'évolution et le temps».

Il y aurait donc à inventer des organisations sociales nationales adaptées à la diversité réelle des groupes de citoyens, des « méro-craties » soucieuses d'articuler entre elles des préoccupations multiples, souvent antagonistes, qui sont les moteurs réels de la dynamique humaine. Le caractère international de la protection de l'environnement se prête à l'élaboration, entre États et groupes d'États, de modèles d'organisations de cette sorte. Certes, le droit international, lui, n'autorise pas la sanction des écarts de conduite. Mais cela est une autre histoire...

A N N E X E S

Écologie et opinion publique française

Les résultats électoraux sont un bon indicateur de la sensibilisation progressive de l'opinion française aux thèmes écologiques.

1979, européennes : 4,5 %
1981, présidentielles : 3,9 % ; législatives : 3,3 %
1983, municipales : 700 élus
1984, européennes : 3,4 %
1986, législatives : 2,5 % ; régionales : 3,5 %
(le même jour)
1988, présidentielles : 3,8 % ; législatives : 4,5 %
1989, municipales : 1 300 élus ; européennes : 10,7 % (dont, d'après un sondage Sofres, plus de la moitié d'électeurs de gauche, un tiers au centre et un dixième à droite ; la sensibilité écologiste s'affirmant depuis 1986 beaucoup plus dans le nord que dans le sud du pays)
1992, régionales : 14,7 %.

Les articles de presse et les revues consacrés aux questions d'environnement se sont parallèlement multipliés, car, à l'instar du public, la plupart des entreprises ont fait à l'environnement une place effective dans leur gestion, qu'elle soit commerciale, technique, ou juridique. Cependant, les adhérents aux partis écologistes français demeurent peu nombreux : 1 500 en 1984, 2 000 en 1988, 5 000 en 1990. Les dissensions internes ont souvent ruiné une bonne part de leur crédibilité aux yeux des électeurs : les législatives de 1993 ne désignent que 11 % d'écologistes, et aucune liste « verte » française n'obtient de député au Parlement européen. En revanche, les associations de protection de l'environnement concernent toujours en France plus de un million d'adhérents.